丸暗記
さよなら君！

直訳で推理しながら覚える！

英熟語 構文 文法

文法はゴロ合わせで！

松本 奉三
Matsumoto Hohzou

風詠社

本書のねらい

　英語は丸暗記すればよいと思っている人が大半でしょう。また納得のいく解説もないので、そのまま丸暗記せざるを得ないというのが実情でしょう。納得のいかないことを覚えるのはつらいもので「もやもや」感が残ります。例えば、

It might rain tomorrow.（ひょっとしたら明日雨が降るかも）
なぜ may の過去形の might が未来の内容に？

I was taken in.（私は騙された）
どうしてこんな意味に？　個々の単語の意味から全体の意味を推理しにくい熟語は、私なりの「理解の方法」も述べさせて頂きました。

As is often the case with ～（～にはよくあることだが）
なぜ as が関係代名詞？

　英語は「なぞ」だらけです。本書の目的は理解しにくい重要熟語、構文、文法を成り立ちから解説し、「ああ、そうだったのか！」「なるほど！」と納得し、理解を深め、英語を「芯」から身につけることです。また文法においては理屈では説明しにくい事項、例えば動名詞しかとらない動詞、不定詞しかとらない動詞等は「ゴロ合わせ」を用いて楽に覚えられるように工夫しました。

本書の構成

　本書は①熟語編、②構文編、③ゴロ合わせ文法編の３編で構成されています。

□①②では、左ページに問題文、同意語句 or 同意語句でないものを４択形式で、また右ページには詳しい解説を記載しています。

ここが異なる！

本書が普通の問題集と異なるところは、問題文に直訳、ヒント、ポイント等により解答が推理できるように工夫されているところです。これにより楽しく、深く理解できます。

□熟語編（Ⅱ以後）、構文編の問題は、５つの段階に分類してあります。

　【超難】…………　超難解

　【難】…………　難解

　【やや難】………　やや難解

　【標】…………　標準

　【易】…………　容易

□③ゴロ合わせ文法編では、特に頻出の文法事項に関して記載してあります。

－ 目 次 －

① 熟語編

□ 熟語とお友達になるコツ！

　例えば、give out という熟語には複数の意味があります。

　①放つ、②配る、③尽きる等、同じ熟語でもどうして意味が異なるのかと考えさせられます。

　give は元来「場所や所有権を移す」という意味です。

　out には様々な意味があり、「中から外を表す」out と結びつけば、「放つ」「配る」という意味になります。

give out light（光を放つ）
give out handbills（チラシを配る）

「消失」を表す out と結びつけば、「尽きる」という意味になります。

My pocket money gave out.（小遣いが尽きた）

　要するに、熟語を身につける急所は動詞が本来持っている意味と前置詞、副詞（of, out, away, over 等）が持つ基本的な意味合いをしっかり掴めば「なるほどな〜」と納得でき熟語とお友達になれます。

Ⅰ．熟語の成り立ち

基本編

基本動詞＋（out, on, off, away, after, over, of）の熟語

1．out の熟語

| out のイメージ |

□ タコツボから何とかタコを引っ張り出すイメージで覚えよう！

 Ⓐ中から外へを表す out。

 Ⓑ出現を表す out。

 Ⓒ不在、消失を表す out。

 Ⓓ完全に"スポット"ぬけるというイメージから完全、

  徹底を表す out。

 Ⓔ努力して結果を何とか外に出すイメージの out。

 Ⓕ逸脱を表す out。

Ⓐ 中から外を表す out

問1　<u>ask A out</u>

> 適訳は？
>
> May I <u>ask</u> you <u>out</u> someday ?
>
> ①デートに誘う　②外食する　③質問する　④用事を頼む

問2　<u>give out A</u>

直訳）（臭い、光、熱等）外へ give（移す）。

> 同意語は？
>
> This bug <u>gives out</u> stinky smell.
>
> ① gets　② emits　③ hides　④ tastes

・bug　一般に昆虫、蜘蛛、ダニ（tick）等　這う虫も含む。
    ミミズ類は　worm。

・stinky　悪臭のある（＝ smelly）。

> 選択肢の訳
>
> ③ hide　隠す　④ taste　味がする

問1　答え　①　訳）いつかデートに誘ってもいい？

ask A out　A をデートに誘う。

・ask you (to　go) out の to go の省略を考えます。
　May I ask you out ?
　　　　　= May I have a date with you ?
cf. 解りきっている (to) go, (to) come　はよく省略されます。

> ・Let me in. = Let me (come) in.　中に入れて。
> ・Let me out. = Let me (go) out.　外に出して。
> ・I'll see you out.
> 　　　　= I'll see you (go) out.　玄関まで送る。

問2　答え　②　訳）この虫はいやな臭いを放つ。

give out A　A（臭い、光、熱等）を放つ。
　　　　= give off = emit (send out)
　　　　　　　　　　　out send

問3 **set out**

直訳）set（準備して）出かける。

> 適語選択
> He <u>set out</u> on his journey.
> ＝ He （　　　）out on his journey.
> ① got　② made　③ took　④ went

cf. journey　長旅（旅の表現は問 29 を参照）

Ⓑ 出現を表す out

問4 **break out**

直訳）破り出る。

> 同意語は？
> The war will <u>break out</u> in near future.
> ① expand　② explode　③ stop　④ occur

選択肢の訳

> ・<u>ex</u>pand　拡大する、広げる。
> 　out 広がる
> ・explode　爆発する（させる）。

問5 **come out**

直訳）現れるようになる（come）。

> 同意語は？
> The cherry blossoms will <u>come out</u> soon.
> ① wither　② die　③ bloom　④ dry up

cf. blossom　は木に咲く花。
　　・梅の花　Japanese apricot blossoms
　　・桃の花　peach blossoms
　　wither　枯れる。

選択肢の訳

> ①枯れる
> ④干上がる

問3　答え　④　訳）彼は旅に出かけた。

set out　出発する。

　　　= set off = go out

・go out は単に出かける。set は用意する、準備するという意味。
　従って主語は人のみです。

問4　答え　④　訳）近い将来、戦争が起こるだろう。

break out　起こる。

　　　= happen = occur = take place　（問55 参照）

・break out、happen、occur は、勃発的に起こるという意味。
・take place は、偶然または必然的に起こるべくして起こるという意味。

問5　答え　③　訳）桜はすぐに咲くだろう。

come out　（現れるようになる）咲く。

　　　= bloom

come は「～するようになる」。

cf.come true　本当になる。

　　　How did you come to know him ?
　　　彼とどのようにして知り合うようになりましたか。

◎その他　出現を表す out

　　・The magagine will be <u>out</u> next month.
　　・be out = be issued、be published　出版される。

Ⓒ 消失を表す out

問6　die out

直訳）消えてなくなる。

> 同意語は？
> That species of birds will <u>die out</u> soon.
> ① go　extinct　② put　off　③ extinguish　④ expel

選択肢の訳

> ① extinct　の原義は、extinguish（消す）の過去分詞が形容詞化したもの。
> 火、灯、望み、種族などが消えた、絶滅した。go extinct　死滅する
> ② put off　延期する。　　③ extinguish　消す。
> ④ <u>expel</u>（外に動かす）追放する。
> 　　out drive

問7　put out A

直訳）out（消失）の状態にする。　put（ある状態にする）。

> 同意語は？
> <u>Put out</u> a candle.
> ① turn off　② turn out　③ go out　④ extinguish

選択肢の訳

> ① turn off ＝ ② turn out　スイッチを回して消す（out は消失）
> ③ go out は消すではなく消える
> The candle went out.　ろうそくが消えた。
> ④ extinguish（問6参照）

問8　run out

直訳）消失の状態になる。　（run: 〜の状態になる）

> 同意でないのはどれか？
> The fuel will soon be <u>run out</u>.
> ① be used up　② be consumed　③ be given out　④ be　filled out

選択肢の訳

> ① be used up　使い果たす
> ③ give out　（問2参照）
> ④ fill out　（問9参照）

問6　答え　①　訳）その種の鳥はすぐに死滅するであろう。

die out　死滅する。

　　　　= go　extinct = dis appear
　　　　　　　　　　　　　否定　現れる

問7　答え　④　訳）ろうそくを消しなさい。

put out A　Aを消す。

　　　　= ex tinguish（完全に消えた状態にする）
　　　　　強意　消えた状態

問8　答え　④　訳）燃料はすぐ尽きるであろう。

run out　尽きる。

　　　　= use up
　　　　= con sume　（強くとる→消費する）
　　　　　強意　take
　　　　= give out

・run は補語を伴い、望ましくない状態になることを表します。
・run short of money　金欠になる。
・run high　海が荒れる。
・run dry（= dry up）　水が涸れる。

◎その他消失を表す out

　　・cross out　線を引いて消す。
　　・ink out　　インクで消す。
　　・paint out　ペンキで消す。
　　・blow out　吹き消す。
　　・tread out　火を踏み消す。

諺

> Out of sight,　out of mind.
> （去る者、日々にうとし。）　out　消失。

・Those who are out of sight will be out of mind.
　の省略と考えます（視界から消える者は心からも消えるものである）。
・will　は、現在の習慣。

Ⓓ 完全、徹底を表す out

問9　fill out A

直訳）完全に満たす。

> 同意語は？
> Please <u>fill out</u> this form.
> ① complete　② note　③ supply　④ put

選択肢の訳

> ① <u>complete</u>　完成する。　③ <u>supply</u>　供給する。
> 　　完全　満たす　　　　　　　十分に　満たす

問10　carry out A

直訳）（心に描いていることを）完全に外に運び出す。

> 同意でないのはどれか？
> <u>Carry out</u> the plan to the finish.
> ① fulfill　② perform　③ implement　④ spoil

選択肢の訳

> ① <u>fulfill</u>　～を満たす、実行する。　② <u>perform</u>　実行する。
> 　十分　満たす　　　　　　完全 形成する
> ③ <u>implement</u>　実行する。　④台無しにする。
> 　中を 満たす

問11　watch out

直訳）徹底的に注視する。

> 同意語は？
> <u>Watch out</u> ! There's a car coming.
> ① Look out.　② See out.　③ Keep out.　④ Put out.

選択肢の訳

> ② see out　玄関まで見送る（問1参照）。　③ keep out　立ち入り禁止。
> ④ put out　消す。

問9　答え　①　訳）この用紙に記入してください。

fill out A　A に書き込む。

= fill in（反意語のようで同意語）

空欄を完全に満たすということから書き込む、記入するという意味になります。

fill in は中を満たすで記入するという意味になり、同意語であることに注意。

---

cf. knock out は「外でなぐる」のではなく、「完全に打ちのめす」
　　という意味です。

問10　答え　④　訳）最後まで実行しなさい。

carry out A　　A を実行する。

= fulfill = perform = implement

= put ~ into practice

問11　答え　①　訳）気をつけろ！車が来るぞ。

watch out.　（完全に目を見張る）気をつける。

= look out.

◎その他、完全、徹底を表す out

・buy out　　買い占める。

・try the car out　　徹底的に試乗する。

・Let's fight it out.　　最後まで戦おう。

・Hear me out.　　最後まで聞いてちょうだい。

・The big earthquake blacked out the whole town.
　大地震で全市停電した（完全に真っ暗になった）。

・white out　雪の霧で完全に白くなり視界がなくなる。

・Will the food hold out ?　　食料は持ちこたえますか？

Ⓔ 努力して結果を（外に）出す out

問12 **figure out A**

直訳）頭の中に描いたものを形にして外に表す。

　　・figure（姿、数字、形、人物、図）

> 同意でないのはどれ？
>
> I can't <u>figure out</u> what he says.
>
> ① understand　② comprehend　③ see　④ ban

選択肢の訳

> ① <u>under</u> <u>stand</u>（下に存在するものを見抜く）（深く）理解する
> 　　　下　　存在する
>
> ② <u>com</u> <u>prehend</u>（全体像をつかむ）理解する
> 　　共に　つかむ
>
> ④ ban　禁止する（通例、法による禁止）

問13 **make out A**

直訳）ぼんやり頭に描いたものを形にして外に現す。

> 同意語は？
>
> She could hardly <u>make out</u> what the writer meant.
>
> ① grasp　② create　③ work　④ catch

選択肢の訳

> ① grasp　つかむ、握る、理解する。

問14 **work out A**

直訳）努力してその結果を外に出す。

　　work　働く、勉強する。

> 同意語は？
>
> I am going to <u>work out</u> my problem by myself.
>
> ① create　② solve　③ treat　④ avoid

選択肢の訳

> ② solve　解く。
>
> ③ treat　扱う。
>
> ④ avoid　避ける。

問12　答え　④　訳）彼が言っていることが理解できない。

figure out A　Aを理解する。

= picture out = understand = comprehend

問13　答え　①　訳）その作家が意図していることをほとんど理解できなかった。

make out A　Aを理解する。

・make out の原義は「見えなかったものが外に出る」（ジーニアス大辞典）という意味であり、ぼんやり見えないものを形に表すということで理解するという意味になります。

問14　答え　②　訳）自分の問題は自分で解決するつもりだ。

work out A　Aを解決する。

・work は働く、勉強する、努力するという意味があり、「何とか努力して問題を解決する」ということです。

Ⓕ 逸脱を表す out（本筋を外れて）

問15　out of the question

直訳）論点から逸脱して。

> 同意語は？
> The manager's proposal was <u>out of the question</u>.
> ① complicated　② confusing　③ elementary　④ impossible　（日本大）

選択肢の訳

> ① complicate 複雑な。　② confuse 混乱させる。　③ elementary 初歩の。

問16　out of date

直訳）時代から外れて。

　　　・date　日付、時代、デート

> 同意語は？
> This type of shoe is <u>out of date</u>.
> = This type of shoe is no longer in (f　　　　).

訳）この種の靴は時代遅れだ。

問17　out of order

直訳）order（正常な状態）からはなれて。

> 同意語は？
> The elevator is <u>out of order</u>.
> ① broken　② stopped　③ suspended　④ repaired

選択肢の訳

> ③ <u>sus pend</u>　ぶらさげる。　④ repair　修理する。
> 　下に つるす

◎ その他、逸脱の out

　・out of control（手に負えない）。　⇔ under control（制御している）。
　・out of hand（手に負えない）。
　・out of place（場違い）。
　・out of work（失業している）。
　= out of a job = out of employment = jobless = unemployed

問15　答え　④　訳）その上司の提案は論外だ。

out of the question　論外。

= impossible

問16　答え fashion　訳）この種の靴は時代遅れだ。

out of date　（時代から逸脱している）時代遅れで。

⇔ up to date　最新の。

・out of date　流行外れ。

= out of fashion = out of vogue

・be in fashion　流行中。

= be in vogue = be up to date

cf. vogue の原義はイタリア語で「滑らかにボートを漕ぐこと」で、この漕ぎ方が世間受けし流行したことから（ジーニアス大辞典）。

問17　答え　①　訳）エレベーターは故障している。

out of order　故障して。

（正常な状態から逸脱している。）（公共の施設が故障している場合に用いられます。）

・私的なものには、be broken を用います。

・order　1.命令　2.順番　3.秩序（正常な状況）　4.制度

EXERCISE（和訳せよ）

1 His wife locked him out.
2 The tulips are out.
3 He is tired out.
4 This stain won't rub out.
5 Cry out for help in case of emergency.
6 My suggestion was out.
7 All possible ways have been thought out.

答え

1 彼の妻は彼を閉め出した（中から外へ）。
2 チューリップが咲いています（出現）。
3 彼は疲れ切っている（完全、徹底）。
4 このしみはなかなかとれない（消失）。
5 まさかの時は大声で助けを呼びなさい（きっぱり、はっきり）。
6 私の提案は受け入れられなかった（逸脱）。
7 あらゆる方法が考え出された（努力して結果を出す）。

2. on の熟語

on のイメージ

The book is on the desk.（その本は机にひっついている。）

on はとにかく接触を表すと覚えておけば、たいていの on は理解できます。

Ⓐ 人、物、金にくっついてを表す依存の on

問18 rely on A

直訳）A にべったりくっついて。

同意でないのは？

She always <u>relies on</u> her mother.

① counts on ② depends on ③ turns on ④ turns to

選択肢の訳

① count on　問19 参照

② depend on A　A を頼る

　　　<u>de pend</u>　頼る。　　cf. pendant（ぶら下がっているもの）ペンダント
　　強意　ぶら下がる

③ turn on　スイッチを入れる。人を興奮させる

④ turn to A　A を頼る。

　turn には人が（物、事）を〜に向けるという意味があり、turn to A は、A を
　あてにする、A を頼るという意味になります。

問19 count on A

直訳）勘定づくで A にくっつく。　　・count　勘定に入れる。

同意語は？

Don't <u>count on</u> him.

① despise ② insult ③ respect ④ trust　　　（明治大）

選択肢の訳

① despise　=　② insult　軽蔑する。　④頼る、信用する。

問20 live on A

直訳）A にひっついて生きている。

適訳は？

We Japanese <u>live on</u> rice.

①米を食い尽くす　②米を常食とする　③米を食い続ける

問18　答え　③　訳）彼女はいつも母に頼っている。

rely on A　A を頼る。

<u>答え</u> = depend on = turn to

・<u>rel</u>y　強く束ねる。　母親の背に子供がべったり結び付けられているイメージ。

強意（=bind）

◎ rely 及び depend の形容詞の用法。

・rely　の 2 つの形容詞　① reliable、② reliant 及び depend の 2 つの形容詞
① dependable、② dependent の用法はよく間違えるので、例文でしっかり
把握しておきましょう。

・He is reliable. = He is dependable.
（彼は信頼できる。）

・He is a reliable doctor. = He is a dependable doctor.
（彼は信頼できる医者だ。）

・He is reliant on the doctor. = He is dependent on the doctor.
（彼はその医者に頼っている。）

reliant は常に be reliant on の形で用います。

問19　答え　④　訳）彼に頼るな。

count on A　A を頼る。

= trust

まとめ
rely on = depend on = count on = turn to（問 18 参照）

問20　答え　②　訳）私たちは米を常食とする。

live on A　A を常食とする。

cf. Sheep feed on grass.　羊は草を常食とする。

Ⓑ 感情の方向（or 接触）を表す on

問21 look down on A

直訳）A を心の中で look down（見下ろす）。

同意語は？

We should not <u>look down on</u> people merely
because they are poor.

① appriciate ② congratulate ③ despise ④ syphathize （中部大）

選択肢の訳

① ap priciate　高く評価する、感謝する。 ② con gratulate　共に喜ぶ、祝う。
　～に 価格をつける　　　　　　　　　　　　　　　　　共に 喜ぶ =grad
④ sym pathize　with　A　（A と感情を共にする）A に同情する。
　共に 感じる

問22 look back on A

直訳）A を心の中で　look back（振り返る）。

同意語は？

I　sometimes <u>look back</u> on good old days.

① retrospect ② suspect ③ respect ④ inspect

選択肢の訳

① retro spect on A　Aを回顧する、追想する。
　遡って look（見る）

② sus pect A　（Aを下から疑わしい目つきで見る）疑う。
　下　look

　suspect an innocent man　無実の人を疑う。

③ res pect A　（Aを振り返って見る）尊敬する。
　back look

④ in spect A　（Aの中を見る）点検する。
　中　look

・inspect the engine　エンジンを点検する。

問21 答え ③ 訳）単に貧しいからと言って軽蔑すべきでない。

look down on A　A を軽視する。

cf. look down at　単に上から下の方を見る。

◎ 類語

・<u>de</u>spise　軽蔑する。　　Don't despise me.　軽蔑しないで。

悪い方に見る（=spy）

・<u>in</u>sult（〜にとびかかる）軽蔑する。

=on =leap

・scorn（からかうが原義）嘲笑する。

□ look down on は見下すという程度で、despise ほど強くない。

問22 答え ①　訳）時々懐かしい昔話を回顧します。

look back on A　A を回想する、思い出す。

cf. He <u>looked back at</u> me.　彼は振り返って私を見た。

　　at は、look at とか laugh at とか同様単なる方向。

◎ その他　感情の on

・He turned his back on me.（彼は心の中で私に背を向けた。）
彼は私を見捨てた。

・He shut the door on me.（感情を込めてドアを閉めた。）
私の鼻先でピシャっとドアを閉めた。

・She smiled on me.
彼はニッコリ私に微笑んだ。

・smile on は感情をこめて笑う。smile at は「〜の方を見て笑う」

© 動作の対象を表す on

問23 call on A

直訳）A をちょっと訪ねる。　・call　用事でちょっと訪ねる、立ち寄る。

同意でないのは？
Let's <u>call on</u> him on our way home.
① visit　② visit on　③ pay a visit to　④ drop in on

選択肢の解説

② visit on の on は不要。
③ pay a visit to ～ は、call on より形式ばった表現です。
　複数回訪問するは、pay visits to ～ となります。
　visit が名詞の時は、前置詞 to を伴います。
④ drop in on は、気軽にぶらっと寄る感じ。

問24 play a trick on A

直訳）A を罠にかける。

同意でないのは？
He <u>played a trick on</u> me.
① teased　② made fun of　③ mocked　④ blamed

選択肢の訳

① tease　軽くいじめるようにからかう。
② make fun of = make a fool of　バカにしてからかう。
③ mock　バカにするようにからかう。　④ blame　責める。

問25 be bent on A

直訳）A に対して腰を曲げ乗り出している。

同意でないのは？
He <u>is bent on</u> his research.
① is absorbed in　② is keen on　③ be buried in　④ be satisfied with

選択肢の訳

① be absorbed in A（A に心が吸収されている）A に夢中である。
② be keen on A（A に神経を鋭くしている）A に夢中である。〔keen　鋭い〕
③ be buried in A（A に埋もれている）A に夢中である。
④ be satisfied with A　A に満足している。

問23　答え　②　訳）帰る途中で彼を訪問しよう。

call on A　A を訪問する。

= visit = drop in on

cf. call at　場所　call at his house

call at = drop in at

・口語では、drop by もよく用います

Please drop by my office.　私の事務所に立ち寄ってください。

問24　答え　④　訳）彼は私をからかった。

play a trick on A　A をからかう。

（play　は人に〜を仕掛けるの意。）

問25　答え　④　訳）彼は研究に没頭している。

be bent on A

（A に腰を曲げ身を乗り出すように夢中になっている。）
A に没頭している。

bend － bent － bent　曲げる。

◎その他　動作の対象を表す on

・tell on A　A にこたえる、A にひびく。

A lack of sleep is telling on me.　睡眠不足がこたえています。

この tell は、影響がある、効き目があるという意。

Ⓓ 抽象名詞と結びついて活動中を表す on

問26 <u>on duty</u>

直訳）任務の最中。

> 同意語は？
> I couldn't go to the party because I was <u>on duty</u>.
> ① in work　② on work　③ at work　④ under work

選択肢の訳

> ① in　work　あくせく働いて。　②④ダミー。

Ⓔ 動詞と結びついて継続を表す on

問27 <u>keep on ～ ing</u>

直訳）繰り返し続ける。

> 同意でないのは？
> This report will be good, <u>keep on</u> working,
> you are almost finished.
> ① go on　② continue　③ carry on　④ try on　（京都外大 改）

選択肢の訳

> ④ try on　試着する。

Ⓕ 同時を表す on

問28 <u>on the spot</u>

直訳）その場で同時に。

> 同意語は？
> He was killed <u>on the spot</u>.
> ① in advance　② after all　③ at once　④ finally

選択肢の訳

> ①前もって。
> 　・pay the bill in advance　家賃を前払いする。
> ②結局。（問 75 参照）
> ③すぐに。
> ④ついに。

問26　答え　③　訳）仕事中だったのでパーティーに行けなかった。

on duty　仕事中。

　　　　= at work ⇔ off duty　非番。

・at work の at は従事を表す at。

at work　仕事中。　at school　授業中（問80参照）。

◎ その他　活動中を表す on

　・on strike ストライキ中。・on fire 燃えている最中。・on leave 休暇中。

問27　答え　④　訳）このレポートはいいものになる、作業を続けなさい、
　　　　　　　　　　　あともう少しだ。

keep on ～ ing　～を続ける。

　　　　= go on ～ ing = continue ～ ing = carry on ～ ing

cf. keep ～ ing と keep on ～ ing の相異。

> ・keep smoking はタバコを吸い続ける。
> ・keep on smoking はタバコを吸う動作を繰り返し続ける。
> 　　　　　　　　　　　　　　　　→ 相変わらずタバコを吸う。
> 従って keep on ～ ing は、状態には用いない。keep on standing は不可。

問28　答え　③　訳）彼は即死した。

on the spot　その場ですぐ。

・He was arrested on the spot.（その場ですぐ逮捕された）現行犯で逮捕された。

・sell on the spot　即売する。

・He was killed at the spot.　彼はその場所で死んだ（at は場所の一点）。

◎その他　～をすると同時にを表す on

　・On his death, his house was sold.　彼の死後すぐ家は売られた。

　・On arriving there, he began to cry. = As soon as he arrived there,

　・We demand cash on delivery.　着払いでお願いします。

Ⓖ 行動の目的を表す on

問29 go on a trip

直訳） trip が目的で出かける。

> 同意でないのは？
> He will go on a trip to NY next year.
> ① make ② take ③ set out on ④ put

◎その他　行動目的を表す on

　　・go on an errand　使いに行く。
　　・go on a business　仕事に行く。

EXERCISE

同じ用法の on はどれか？

We demand cash on delivery.

　　1) He has a store on the main street.
　　2) He retired on pension.
　　3) On examination, I found the report to be false.
　　4) He is on leave.

訳）着払いでお願いします（～と同時にを表すon）（配達と同時に現金を要求する）。
　　1) 本通りに店を持っている（線との接触を表す　on　）。
　　2) 年金がついて退職した（基づいてを表す　on　）。
　　3) 調べてみると、そのレポートは偽りであることが分かった。
　　4) 彼は休暇中です（～中の　on　）。

答え 3

問29 答え ④ 訳）彼は来年 NY に旅行に出かけます。

go on a trip　旅に出かける

= make a trip = take a trip = set out on a trip

（set out　問 3 参照）

（注意）go on a travel とは言いません。
　　　　He will travel to NY. は正しい。
　　　　（travel の原義は「骨の折れる旅をする」。）

| 旅の表現いろいろ |

go on a trip = go on a tour = go on a journey
・trip の原義は「軽く動く」ということから興味本位の楽しい旅。
・tour の原義は一周、回転ということで、〜をめぐる旅。
・journey　jour はフランス語で一日という意味でもともと日帰り旅行のことでしたが、日帰り旅行は疲れるので疲れやすいイメージから、比較的長い旅に意味が転じたと言われています。
　trip、tour は出発地点に戻りますが、journey は戻らない場合もあります。
　He went on a last journey.　彼はお旅立ちになりました。
cf. Bonjour（仏語）（= Good day）こんにちは。
・journalist（日々の出来事を扱う）報道記者。

諺

A journey of a thousand miles
　　　　　　　　begins with a single step.
（千里の道〔旅〕も一歩から。）

3. off の熟語

off のイメージ

A　分離している状態。

○　　　　　　○

B　分離することを表す。

○ ⟹ ○

C　ある状態から別の状態に変化する or しつつあることを表す。

Ⓐ 分離している状態を表す off

問30 keep off A

直訳）分離状態を保つ。

同意語は？
Smoke will <u>keep off</u> mosquitoes.
① avoid　② evade　③ invade　④ pervade

選択肢の訳

① avoid　避ける。
② <u>e</u><u>vade</u>（外へうまく逃れる）逃れる、免れる。 evade capture 逮捕を逃れる。
　out go
③ <u>in</u><u>vade</u>　（中に進む）侵入する。 invade the territory　領土に侵入する。
　中 go
④ <u>per</u><u>vade</u>　（貫いて進む）普及する、広がる。
through go
　　　　・The virus pervaded the world. そのウイルスは世界中に広まった。

問30 答え ①　訳) 煙は蚊を近づけないであろう。

keep off A　A を近づけない。

・<u>keep off</u> beer for a year　　1 年間ビールを控える。
・<u>keep off</u> sweets　甘いものを口にしない。
・<u>keep off</u> the religious issue　宗教的問題を避ける。

◎その他　分離状態を表す off

・The house is about a mile off.　1 マイル離れたところにある。
・The vacation is about a week off.　1 週間もすれば休みだ。

掲示用語

・Keep off the grass.　芝生立入禁止。
・Keep off the premises.　構内立入禁止。
　・premise　前提、仮定、土地付建物、構内。

Ⓑ 分離することを表す off

問31 <u>put off</u> A

直訳）分離して未来に置く。

同意語は？

It is better to <u>put off</u> the game till Sunday next week.
① postpone ② prolong ③ lengthen ④ extend

選択肢の訳

② <u>pro</u><u>long</u>　延長する。
　　前に　長くする

　　　　　　　　　　　　・prolong a discussion　議論を長引かせる。

③ <u>leng</u><u>then</u>　（長くのばす）→延長する。
　　長さ　～する

　　　　　　　　　　　　・lengthen the road　　道路を延長する。
　　　　　　　　　　　　・lengthen one's stay　滞在を伸ばす。

④ <u>ex</u><u>tend</u>　（外にのばす）延長する。
　　out stretch

　　　　　　　　　　　　・extend the railway　　鉄道を延長する。
　　　　　　　　　　　　・extend the deadline　締切を延長する。
　　　　　　　　　　　　・prolong = lengthen = extend　延長する。

問31　答え　①　訳）来週の日曜日までゲームを延期した方がよい。

<u>put off A</u>　Aを延期する。

　　　　= <u>post</u> <u>pone</u>（後に置く）
　　　　　　after　put

cf. <u>post</u>war　戦後。　・<u>post</u> <u>script</u>　（手紙の）追伸、PS。
　　　after　　　　　　　　after　書かれたもの

　　　　　　　　　現在　　　　　　　　　未来

現在から離れて、未来に置く

◎その他　分離することを表す off

・The stain will come off.　そのよごれはとれるであろう。
・Take off your hat.　帽子を取りなさい。
・The plane will take off soon.　その飛行機はすぐに離陸します。
・Jump off the bridge.　橋から飛び降りろ。

諺

Don't put off till tomorrow what you can do today.
（今日できることは明日まで延ばすな。）

・マーク・トウェインの言葉
Don't do today what you can do tomorrow.
（明日できることは今日するな。）

ⓒ ある状態から別の状態に変化する or 変化しつつあることを表す off

a) 静から動への移行を表す off

問32 go off

直訳）静止状態から離れて活動状態になる。

> 同意語は？
> The gun <u>went off</u> with a loud bang.
> ① excluded ② exhausted ③ exploded ④ expelled

選択肢の訳

> ① <u>ex</u>clude 締め出す。 exclude foreigners 外国人を締め出す。
>   外へ 閉じる（＝ close）
> ② <u>ex</u>haust （エネルギーを体の外にくみ出す。）→ 疲れ切らせる。
>   外へ くみ出す
>   I am exhausted. ＝ I am tired out. グタグタです。
> ④ <u>ex</u>pel （外に出す。）→ 追放する。
>   外へ 動かす
> cf. <u>pro</u>pel 推進する。 propeler プロペラ。
>   前に 動かす

b) 静から動への移行を表す off

問33 call off A

直訳）活動状態から静止状態になることを call（宣言する）。

> 同意語は？
> They will <u>call off</u> a demo.
> ① prevent ② cancel ③ prohibit ④ protect

選択肢の訳

> ① <u>pre</u>vent （前に邪魔者が現れる。）→ 妨げる。   ② <u>pro</u>hibit 禁止する。
>   前 現れる   前で 抑制する
> ④ <u>pro</u>tect 保護する
>   前を 覆う

c) 悪い状態から離れ、良い状態にある off

問34 be well off

直訳）暮らし向きが bad の状態を離れ well の状態にあること。

> 同意語は？
> He owns his house. It seems he is quite <u>well off</u>.
> ① happy ② rich ③ healthy ④ gorgeous   （名城大）

問32　答え　③　訳）大きな爆発音を立ててピストルが暴発した。

<u>go off</u>　爆発する（させる）。

= explode

・机の中に入っていたピストルをいじくって暴発したという感じ。

・<u>ex plode</u>　　　原義は、下手な役者をブーイングして手をたたいて大き
外に 手をたたく　　な音を出して舞台から追い出したことに由来。

問33　答え　②　訳）彼らはデモを中止するだろう。

<u>call off A</u>　A を中止する。

（デモをしている）動の状態から、しない状態になることを宣言する。

= cancel

問34　答え　②　訳）彼は家を持っている。彼は全く裕福なようだ。

<u>be well off</u>　暮らし向きが良い。

（悪い状態を脱してよい状態にある。）

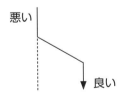

d) よい状態を離れて悪い状態にあることを表す off

問35 be bad (ly) off

直訳）暮らし向きが well の状態を離れて bad の状態にある。

> 同意語は？
> Jane was <u>badly off</u> before she came to Japan.
> ① lacking in ability ② short of money
> ③ in a bad temper ④ in trouble　　　　（立命館大）

選択肢の訳

> ① lacking in ability　能力不足　　lacking は形容詞です。
> ②金欠　　③機嫌が悪い　　・temper　気性・気分

EXERCISE

和訳しなさい。

1. It's better to keep off political issue at the meeting.

2. The game may be put off depending on the weather.

3. A bomb went off in the distance.

4. They called off their engagement because his affair was found out.

5. He left his family well off.

6. There is someone always worse than yourself.

7. They are badly off for food.

　　答え　1. 会議では、政治的な問題は避けた方がよい。

　　　　2. 試合は天候次第で延期されるかもしれない。

　　　　3. 遠方で爆弾が爆発した。

　　　　4. 彼らは婚約を解消した、というのは彼の浮気がバレたからである。

　　　　5. 彼が死んで遺族は生活に困らずに済んだ。

　　　　　　直訳）彼は家族を暮らし向きの良い状態で残した。

　　　　6. あなたより恵まれない人は必ずいるものです。

　　　　7. 彼らは食料不足です。

問35　答え　②　訳）ジェーンは日本に来るまで暮らし向きが悪かった。

bad（ly）off　暮らし向きが悪い。
　　　　　　= poorly　off

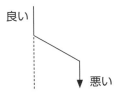

---

cf. bad と badly について

・feel bad は主に身体的に苦しんで、feel badly は主に感情的に苦しんで。

・badly は悪いという意味で、例えば speak　badly　of　A　A のことを悪く
　言うというような意味で使われる場合と、very　much の意味で口語的によ
　く使われます。
　　・I need you badly. （お前がこの上もなく必要だ。）
　　・I was badly defeated. （こてんぱんに敗けた。）
　　　　　・badly = completely

豆知識
　　　　　　　　　　　　　　　　　　　　　　　　　　　　　　　　　　　　　　　

・野球用語の play　off とは

　off はある状態をはなれて次の状態に移ることを意味します。
　通常の play が終了した後にそこからはなれて別の試合をすること。
　現在では、優勝決定戦のことをいいます。

・サッカー用語の kick　off とは

　もともとサッカー、ラグビーの用語で試合開始（即ち静の状態をはなれ、動の
　状態にはいること）や、ゴールの後で次の試合を再開すること（即ち、ある状
　態をはなれ、次の段階に移ること）を意味します。

4. away の熟語

away の原義は、〜を離れて、〜に向かうというイメージから

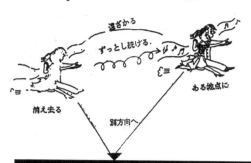

遠ざかる
ずっとし続ける.
消え去る
別方向へ
ある地点に

A. 離れた方向、場所を表す away。
B. 離れることにより、元の場所にいなくなる
　　ことを表す消失の away。
C. 別方向に向けることを表す away。
D. 「〜し続ける」を表す away。
　　・dance away（ダンスをし続ける。）

Ⓐ 離れた方向 or 場所を表す away

問36 keep away from A

直訳）A から距離を保つ。

同意語は？
The doctor advised me to <u>keep away from</u> alcohol.
① affect　② abuse　③ avail　④ avoid

選択肢の訳

① <u>aff</u>ect（〜に働きかける。）→ 〜に影響を及ぼす。
　　to　do or act
② <u>ab</u>use（本道から逸脱して使用する。）→ 乱用する、悪用（誤用）する。
　　from
③ avail　役立つ。
④ avoid　避ける。

諺

An apple a day <u>keeps</u> the doctor <u>away</u>.
（1日リンゴ1個で医者いらず。）

When the cat's <u>away</u>, the mice will play.
（鬼の居ぬ間に洗濯。）
気兼ねしたり、恐れたりする人がいない間にくつろぐこと。
・mice は mouse の複数形。　　・will は現在の習慣。

問36 答え ④ 訳）医者は私に酒を断つように言った。

keep away from A　A に近づかない、A をさける。
= avoid

◎その他　離れた方向（場所）を表す away

・I was carried away by her.（私は彼女に心を運び去られた。）

→ 彼女に惚れた。

・He is away in NY.　ニューヨークに出張しています。

・run away　走り去る。

・walk away　歩き去る。

・get away　離れる。

・hurry away　急いで去る。

諺

A wise man keeps away from danger.

（君子危うきに近寄らず。）

・諺には諺で反論
Knowing what is right and not doing it
is a want of courage.

（義を見てせざるは勇無きなり。）

　　直訳）正しいということを知っていて、それをしないということは勇気が
足りないということである。

Ⓑ 消失を表す away
（離れることにより元の場所にいなくなることから）

問37 do away with A

直訳）A に関して消失させる。

同意語は？

They attempted to <u>do away with</u> the rules.
① abolish ② accept ③ revise ④ excuse

選択肢の訳

②受理する。　③改訂する、改正する。

問38 pass away

直訳）消えてなくなる（pass　消え去る）。

同意語は？

He was shocked to hear his friend had <u>passed away</u>.
① died ② disappeared ③ left ④ retired　　（亜細亜大）

選択肢の訳

② disappear　消える

Ⓒ 別方向に向かう away

問39 put away A

直訳）別方向に置く。

適訳は？

Please <u>put away</u> your things
　　　　　　　when you've finished using them.
①持ち去る　②元に戻す　③かたづける　④処理する　　（花園大　改題）

Ⓓ ～し続けるを表す away

繰り返す動作を表しうる動詞と共に、何度も繰り返されたり続くことを表す。
・work away　　働き続ける、勉強し続ける。
・talk away　　話し続ける。
・dance away　ダンスをし続ける。
・ask away　　質問し続ける。
・smoke away　タバコを吸い続ける。
・drink away　酒を飲み続ける。

問37　答え　①　訳）彼らはそのルールを廃止しようとした。

do away with A　　A を廃止する。

　　　　= abolish = get rid of

□ 生き物なら殺すという意味になります。

・do away with mice　ネズミを退治する。

問38　答え　①　訳）友が亡くなったと聞いてショックを受けた。

pass away　　死ぬ。

　　　　= die

pass は消える、pass away は消えてなくなるという意味で、die の婉曲的な言い方で「お亡くなりになりました」という感じ。

cf. pass away は、時を（楽しく）過ごすという意味もあります。

◎その他　消失の away

　　・The snow has melted away.　雪が解けてなくなった。
　　・burn away　燃えてなくなる。
　　・fade away　（音、色など）次第に消える。
　　・rot away　腐ってなくなる。
　　・wash away　洗い去る。

問39　答え　③　訳）持ち物をかたづけてください。

put away A　　A をかたづける。

put away は他に貯金する（= put aside = save）という意味もあります。

◎その他　別方向の away

　　・He turned his face away.（顔を別方向に向けた。）→ 顔をそむけた。
　　・He turned customers away.（客を別方向に向けた。）→ 客を追い返した。

諺

Constant dripping wears away the stone.
（点滴石をもうがつ。）
・wear　侵食する。　　・away は消失。

5. after の熟語

Ⓐ 追求を表す after

問40 run after A

直訳）求めて走る。

（後ろを走るではありません。）（後ろを走るは run behind。）

> 同意語句は？
> The cop <u>ran after</u> a groper.
> ① chased after　② caught after　③ run behind　④ grasped after

・cop　警察官、警官の制服についてる銅（copper）製のボタンに由来すると言われています。cop には、捕まえるという動詞もあり、cop a robber は泥棒を捕まえる。

・grope（V）　手探りで探す、（女の）体を愛撫する。

選択肢の訳

> ②④はダミー。

問41 seek after = seek for A

直訳）A を求めて seek する（seek の原義は臭覚を働かす）。

> 同意語句は？
> He is always <u>seeking after</u> a better life.
> ① looking after　② looking up　③ looking for　④ looking on

選択肢の訳

> ① look after A（A に関して見る。）→ 世話をする。= take care of
> ③ look up　見上げる
> ④ look on A（感情を込めて）A を見る。

問42 yearn after A

= yearn for A

直訳）A を求めて yearn （熱望する）。

> 同意語句は？
> I <u>yearn after</u> home.
> ① ask for　② long for　③ make for　④ reach for

選択肢の訳

> ① ask for 要求する。　③ make for ～に役立つ、～に向かって進む。
> ④ reach for ～をつかもうと手を伸ばす。

問40　答え　①　訳）警官は痴漢を追いかけた。

<u>run after A</u>　A を追いかける。

  = chase after

問41　答え　③　訳）彼はいつももっと楽な生活を求めている。

<u>seek after A</u>　A を探す。

  = seek for A = look for A

◎類語

・look for（求めて見る）探す　　もっとも一般的な語で広く用いられます。

・seek for（after）　主に　love、wealth（富）、truth などの欲求物を探す意味に用います。時間と労力を要する意味を含んで文語的です。

・search after（for）　・search　の原義は歩き回るということから、くまなく探すという意味です。

search after（gold、the person、fame）など

cf. search a house は家の中を探す、家宅捜査を行う意。

問42　答え　②　訳）故郷を恋しく思う。

<u>yearn after（for）A</u>　A を恋しく思う。

  = long for A = be eager for A

  （求める度合いは、after＞for）

諺

> If you <u>run after</u> two hares, you will catch neither.
> （二兎を追う者は一兎をも得ず。）　　　hare　野うさぎ。
>
> ・<u>反対の諺</u>
>
> It is like killing two birds with one stone.
> （一石二鳥。）

Ⓑ 模倣、一致を表す after

問43 take after A

直訳）親などの姿、性格と一致して受け取っている。

同意語句は？

She <u>takes after</u> her mother.

① resembles　② resembles to　③ resembles of　④ resembles with

選択肢の解説

・resemble　似ている。resemble は直接目的語をとり、通常進行形は不可ですが She is resembling her mother, more and more. というように推移を表す ときは進行形も用います（特に外観が似つつあることを表します）。 ②③④はダミー。

問44 name after A

直訳）A に一致して名付ける。

同意語句は？

He was <u>named after</u> his uncle.

① told after　② spoken after　③ said after　④ called after

選択肢の解説

①②③はダミー。

Ⓒ 関してを表す after

問45 look after A

直訳）A に関して見る。

同意語句は？

Will you <u>look after</u> the baby ?

① care after　② care of　③ care with　④ care for

選択肢の解説

①②③はダミー。　④ care for　世話をする。

EXERCISE（答えは右ページ）

和訳しなさい。

1. Wise man seek after truth, while fools despise it.

2. His garden was well looked after.

3. Tom takes after his father not only in looks
                                    but also in character.

問43　答え　①　訳）彼女は母に似ている。

take after A　A と似ている。

（血縁関係の人の性質、外観と）一致して受け取っている。→似ている。

　　　　= resemble = be similar to

cf. They are alike. = They are similar.　彼らは似ている。

・similar は、alike より類似の度合いが大ざっぱ。

問44　答え　④　訳）彼はおじにちなんで名付けられた。

name after A　A にちなんで名付ける。

　　　　= call after A

◎その他　模倣の after

　・a novel after Hemingway　ヘミングウェイ風の小説。
　・They made a garden after Japanese pattern.　日本様式をまねて庭を造った。
　　（= They made a Japanese-style garden.）

問45　答え　④　訳）赤ん坊の世話をしてくれませんか。

look after A　（A に関して見る）→ 世話をする。

　　　　= care for = take care of

> cf. care for は通例疑問文、否定文で　like の意味を有します。
> ・Would you care for coffee ?　コーヒーいかがですか。
> ・I don't care for coffee.　私はコーヒーが好きではありません。

◎その他　関してを表す after

ask after　人の様態を尋ねる。
　・She asked after you and your kids.　彼女はあなたと子供たちは元気かと尋ねた。

EXERCISE の答え

　　1.　賢者は真相を求め、一方愚者はそれを侮る。
　　2.　彼の庭は手入れが行き届いていた。
　　3.　トムは外観のみならず性格も父親似だ。

6. over の熟語

Ⓐ 動き、移動を表す over

a) 場所、所有権の移動を表す over
b) ～を超える or 超えた地点を表す over
c) 回転を表す over

a)
b)
c)

a) 場所、所有権の移動を表す over

問46 take over A

直訳）所有権を移し take（取得する）。

> 同意語句は？
> When his father retires, John will <u>take over</u> the company.
> ① succeed to ② succeed in ③ succeed of ④ succeed with

選択肢の解説

> ① suc<u>ceed</u> to（下をつないでいく）
>   下に　go   祖父から父に、父から息子に引き継いでいくというイメージ。
>   （詳しくは問71 参照）
> ② succeed in A　A に成功する。　　③④ダミー。

問47 hand over A

直訳）所有権を移行して hand（手渡す）。

> 同意語は？
> He <u>handed over</u> his estate to his son.
> ① transferred ② transformed ③ transfused ④ translated

選択肢の訳

> ① <u>transfer</u>　移動する（させる）、乗り換えする（させる）、譲渡する。
>   横切って 運ぶ
> ② <u>transform</u>　変形する（させる）。　　③ <u>transfuse</u>　輸血する。
>   別の状態へ 形作る   横切って 流す
> ④ <u>translate</u>　翻訳する。
>   別の状態に 運ぶ

・estate　財産。（死後子孫に遺す財産（property）の意。）

　cf. fortune　財産、大きな財産、運、幸運。

問46　答え　①　訳）父が退職をした後、ジョンが会社を引き継ぐでしょう。

take over A　A を引き継ぐ。

　　　　= succeed　to

・この take は、人が仕事（or 責任等）を引き受けるという意味。
　（注）take on は引き受ける。よく間違えるので要注意（問54 参照）。

問47　答え　①　訳）彼は息子に財産を譲った。

hand over A　A を譲る。

　　　　= transfer

◎その他　移動の over
　　・He went over to the enemy.　彼は敵に寝返った。
　　・go over to India.　インドに渡る。

b)「～を超える」を表す over

問48 <u>run over A</u>

直訳）A を超えて走る。

適訳は？
The dog <u>was run over</u> by a bus.
①追い越された　②追いついた　③ひかれた

c) 回転を表す over

問49 <u>turn over A</u>

直訳）A を回転する。

適訳は？
I am going to <u>turn over</u> a new leaf.
①譲る　②めくる　③引き継ぐ

Ⓑ くわしく or 完全にを表す over

問50 <u>think over A</u>

直訳）A をくわしく考える。

同意語は？
You must <u>think over</u> what they say.
① consider　② follow　③ repeat　④ support

問48　答え　③　訳）その犬はバスにひかれた。

<u>run over A</u>　Aをひく。

◎その他　超えてを表す over
- ・He looked her over his shoulder.　肩越しに彼女を見た。
- ・look　over　には、ざっと目を通すという意味もあります。

問49　答え　②　訳）私は新規巻き返しをするつもりだ。

<u>turn over A</u>　Aをめくる。

- ・turn over a new leaf（人生の新しいページをめくる）新規まき直しをする。
- ・leaf　葉、ページ。
- ・turn over には、寝返りをする、譲る、ひっくり返すという意味もあります。

◎その他　回転を表す over
- ・fall　over　the　edge　崖から落ちる。
- ・The　tree　fell　over.　木が倒れた。

問50　答え　①　訳）彼らが言うことをじっくり考えねばならない。

<u>think over A</u>　Aを（くわしく考える）熟考する。

◎その他　くわしい、完全を表す over
- ・read over　熟読する。　Read the document over.　書類を熟読しなさい。
- ・check over　よく調べる。
- ・study over　よく調べる。
- ・talk over　よく話し合う。
- ・chew over　よく考える。

◎ その他の over

□ 繰り返しを表す（反復）の over

・Do the work over.　その仕事をやり直せ。

・Cook it over.　料理をし直せ。

・count over　数えなおす。

・cry over　繰り返し叫ぶ。

□「〜しながら」を表す over

・Let's have a talk over (a cup of) coffee.　コーヒーを飲みながら話をしよう。

・I sometimes go to sleep over my work.　時々仕事をしながら寝てしまう。

・over the wheel　運転しながら（ハンドル越しにという感じ）。

　　・wheel　車輪、ハンドル

□ 覆うというイメージから「支配」を表す over

・The queen ruled over the country.　女王がその国を支配した。

・triumph over A　A に勝利する。

□ 原因を表す over（感情を表す動詞と共に）

・quarrel over money　金のことでけんかする。

・fight over salt　塩が原因で戦う。

諺

It is no use crying <u>over</u> spilt milk.
（覆水盆に返らず。）
　　直訳）こぼれたミルクが原因で泣くことは、無駄である。

EXERCISE

問1　同じ用法の over はどれか？

　　It is no use crying <u>over</u> spilt milk.

1. Roll the stone over.
2. The war broke out over the discovery of oils.
3. She often turns over in her bed.
4. My son has no command over himself.

訳）（こぼれたミルクが原因で泣くのは無駄だ）覆水盆に返らず（原因）。

1. その石ころを転がせ（回転）。
2. 石油の発見が原因で戦争が起こった（原因）。
3. 彼女はしばしばベッドで寝がえりをする（回転）。
4. 息子には自制心がない（支配）。

→ 答え　2

問2　同じ用法の over はどれか？

　　He often falls asleep <u>over</u> his work.

1. He often gets angry over nothing.
2. Read the book over.
3. He made his business over to his son.
4. He was sitting over coffee and cigaretts.

訳）彼はしばしば、仕事をしながら眠る（[～しながら] を表す　over）

1. 彼は何でもないことによく怒る [何でもないことが原因で]（原因の　over）。
2. その本を熟読しなさい（すっかり [= 完全] を表す　over）。
3. 彼は息子に仕事を譲った（[移動] を表す　over）。
4. 彼はコーヒーを飲みタバコを吸いながら座っていた（[～しながら] を表す over）。

→ 答え　4

問3　同じ用法の　over　はどれか？

　　He handed the money <u>over</u> to her.

1. I will bring him over.
2. Do the work over.
3. The tree fell over.
4. Count them over.

訳）彼は彼女にお金を譲った（移動）。

1. 彼を呼び寄せよう（移動）（bring　つれてくる）。
2. その仕事をやり直せ（繰り返し）。
3. 木が倒れた（回転）。
4. 数えなおせ（繰り返し）。

→ 答え1

7. of の熟語

昔の英語では種々の意味でofがoff or fromの代わりに用いられていました。
offは（14-16c）にかけてofから分かれて17cに今の形になりました。
offは分離のofを強調したものです。

Ⓐ off（分離、剥奪）の意味を持つ of

問51 rob A of B（AとBの位置関係に注意！）

直訳）AとBを分離してBを奪う。

> 同意語は？
> Someone robbed me of my purse.
> = Someone（　　　　　）my purse.

・purse　主に女性用の「小銭入れ、財布、札入れ」
　類語
　・wallet　二つ折りの「札入れ」
　・billfold　男女共用に用いる「札入れ」

Ⓑ 形容詞的働きをする of ＋ 抽象名詞

問52 of no use

of ＋ 名詞で形容詞化

> 適訳挿入
> It is of no use to pursue the matter.
> = It is（　　　）（　　　）（　　　　）the matter.
> = It is（　　　）to pursue the matter.

（注）of no use の後は to 不定詞、It is no use（good）の後は通例動名詞
　　がきますが、to 不定詞も OK とされています。

問51　答え stole　訳）誰かが私の財布を盗んだ。

rob A of B　AとBを分離してBを奪う。

　　　　= deprive A of B

（Aが全体でBが部分 [付属物] であることに注意！）

steal はひそかに盗むことを意味するが、rob A of B は無理やり引き離して奪うということから、暴力 or 脅迫して奪うという意味です。

主に rob は有形の物を奪うという意味に用い、無形の物（自由、権利等）を奪うは deprive を用います。

They deprived me of my freedom.

・de prive　私的なものを剥奪するという意味です。
　off private

ただし現在では、rob と deprive は同意的に用いられ、あまりきびしい区別はないようです。（また rob は「気づかれず」にという意味を含むこともあります。）

◎その他　分離の of

　　・The doctor cured him of his cancer.　医者は彼のガンを治した。
　　・clear the roof of the snow　　屋根の雪かきをする。

問52　答え no use pursuing、useless／(of no use = useless)

　　訳）その問題を追求することはむだだ。

　[理解の仕方]

・be の後では名詞がきて事柄を表し、形容詞がきて状態を表します。

　例えば、It is a pencil. は事柄を、It is long. は状態を表します。

　同様に、It is no use. は無駄であるという事柄を、It is of no use. は無駄であるという状態を表します。

◎その他　of + 名詞 = 形容詞

　　・of help = helpful　役立つ。
　　・of importance = important　重要な。
　　・of service = serviceable　役立つ。
　　・of value = valuable　価値の高い。
　　・of no　value = valueless　価値のない。
　　・of sense = sensible　分別のある。

II．複数の意味を持つ重要熟語

問53 <u>take in A</u>

【やや難】直訳）A を（ⓐ頭 ⓑ体 ⓒわな）に取り込む。

ⓐ take in A （A を頭の中に取り込む。）

同意語は？

I can't <u>take in</u> what he said.

① ignore ② understand ③ tell ④ convey

選択肢の訳

① <u>ig</u><u>nore</u>（知らないふりをする）無視する。　cf. <u>ig</u><u>noble</u>　卑しい。
　　not know　　　　　　　　　　　　　　　not 高貴な
④ convey　運ぶ。

ⓑ <u>take in A</u> （A を体に取り込む。）

同意語は？

I think you'd better <u>take in</u> vitamin C.

① ingest ② avoid ③ digest ④ buy

選択肢の訳

① <u>in</u><u>gest</u>　摂取する。
　　中 運ぶ
② 避ける。　③ <u>di</u><u>gest</u>　（分離して運ぶ）消化する。
　　　　　　　　off 運ぶ

ⓒ <u>take in A</u> （A を策略の中に取り込む。）

同意語は？

The old woman was <u>take in</u>.

① insulted ② invited ③ deceived ④ praised

選択肢の訳

① <u>in</u><u>sult</u> A （A にとびかかる）侮辱する。　② invite　招待する。
　　on leap（とびかかる）
④ praise　ほめる。

問53　答え　ⓐ②　ⓑ①　ⓒ③

　　　<u>take in</u>　　ⓐ理解する。　Ⓑ摂取する。　Ⓒだます。

ⓐ <u>take in</u> A（A を頭の中に取り込む）→ A を理解する。

　　　　　＝ understand A　訳）彼の言ったことが理解できない。

　　┌──────────┐
　　│　理解の仕方　│
　　└──────────┘

・take what he said in（the head）彼の言ったことを頭の中に取り込む。
　すなわち「理解する」となり、the head を省略し、in を前に移します。前置詞
　の in が副詞化し、take in という熟語になると考えます。

ⓑ <u>take in</u> A（A を体の中に取り込む）→ A を摂取する。

　　　　　＝ <u>in</u>gest A　　訳）あなたはビタミンC を摂取した方がよいと思う。
　　　　　　中　運ぶ

　　┌──────────┐
　　│　理解の仕方　│
　　└──────────┘

・take vitamin C in（the body）　体の中にビタミン C を取り込む。
　the body を省略し、in を前に移します。

ⓒ <u>take in</u> A（A を策略の中に取り込む）→ A をだます。

　　　　　＝ <u>de</u>ceive A　　　　　訳）その老婆は騙された。
　　　　悪い方向　take（もって行く）

　　┌──────────┐
　　│　理解の仕方　│
　　└──────────┘

・能動態で考えてみます。
　They took the old woman in the trick.　老婆を策略の中に取り込んだ。
　すなわち「だました」となり、the trick を省略し、in を前に移します。

◎まとめ（覚え方）

┌───┐
│ ・take ～ in（the head）→ ～を頭の中に取り込む。→ ～を理解する。 │
│ ・take ～ in（the body）→ ～を体の中に取り込む。→ ～を摂取する。 │
│ ・take ～ in（the trick）→ ～を策略の中に取り込む。→ ～をだます。 │
└───┘

問54 take on A

【やや難】直訳）A をひっつけて取る（on は接触）。

ⓐ take on （(仕事 or 責任等）をひっつけてとる。)

同意語は？

I don't want to take on the extra work.
① think out ② spoil ③ pursue ④ undertake

（注意）take on（引き受ける）は、take over「引き継ぐ」とよく間違えるので気を
付けましょう。over は所有権の移動を表すので引き継ぐになります。

選択肢の訳

① think out　熟考する（out は徹底）。　②台無しにする。
③ pursue　追跡する、追いかける
　　前へ　追跡する

ⓑ take on 人 （人をひっつけてとる。)

同意語は？

We will take on that guy because he is a hard worker.
① punish ② employ ③ respect ④ forgive

選択肢の訳

①罰する。　② employ（中に結び付ける）雇う。　④許す。
　　　　　　　　中　結びつける

ⓒ take on 状況 （状況をひっつけてとる。)

同意語は？

It will take on a new aspect.
① become ② begin ③ turn ④ assume

選択肢の訳

④ assume は頻出単語ですから語源でしっかり覚えよう。

・assume（1. ～を受け入れる　2. ～をとる　3. ～であると理解する）
　to take（取る、解する）

1. assume office（公職につく）　2. assume an important attitude（尊大
　な態度をとる）　3. I assume he is right.（彼は正しいと思う）

cf.・consume（強く食べる）→ 消費する。
　　　強意 take
　　・resume（取り戻す）　　・resume 4 islands（4 島を取り戻す）
　　　back

60

問54 答え ⓐ④ ⓑ② ⓒ④

　　　take on　ⓐ引き受ける。 ⓑ雇う。 ⓒ帯びる。

ⓐ take on　【(仕事 or 責任等)を自分にひっつけてとる。】
　　　　　　→引き受ける

＝ undertake（下に位置して上からくるものを受け取る。）引き受ける。
訳）残業は引き受けたくありません。

　┌─────────┐
　│ 理解の仕方 │
　└─────────┘

on は元来ひっついているという意味です。It is on the desk. それは机とひっ
ついている。
take the extra work on (me) と考え、私にひっついて残業を取る、すな
わち残業を引き受けるとなります。ここでも take in の場合と同様、前置詞 on
が前に移って take と連結し、副詞化し take on という熟語になったと考えます。

ⓑ take on 人　（人をひっつけてとる。）→雇う。
　　　　　＝ employ（中に結び付ける。）雇う。
　　　　　　　　中　結びつける

訳）勤勉なので、我々はあの男を雇うつもりだ。

　┌─────────┐
　│ 理解の仕方 │
　└─────────┘

・take that guy on me と考え、我々にひっつけてその男をとる、すなわち「雇
　う」となります。

ⓒ take on　（状況をひっつけてとる。）→帯びる。呈する。
　　　　＝ assume

訳）それは新しい様相を帯びるであろう。

　┌─────────┐
　│ 理解の仕方 │
　└─────────┘

・take on a new aspect は、ⓐ及びⓑと同様ひっつけてとると考え、新しい様
　相とひっついてとる。→新しい様相を帯びる。

◎まとめ（覚え方）

┌──┐
│ ・take on 物・事 → 物・事をひっつけてとる。 → 引き受ける (undertake)。│
│ ・take on 人 → 人をひっつけてとる。 → 雇う (employ)。　　　　　　│
│ ・take on 状況 → 状況をひっつけてとる。 → 帯びる、呈する (assume)。│
└──┘

問55 take place

【標】 直訳）ⓐ広い通りを占める。 ⓑその結果何か起こる。

ⓐ 広い通りを占める。（place は広い通り、広場が原義。）

同意語は？

The festival will <u>take place</u> tomorrow.

① hold ② be held ③ go on ④ postpone

選択肢の訳

① 催す。 ③続ける。 ④延期する。（問31 参照）

ⓑ 催しがあれば何かが起こります。
（祭りにハプニングはつきものという感じ。）

同意語は？

Traffic accidents will often <u>take place</u> here.

① break out ② cause ③ appear ④ disappear

選択肢の訳

① break out（破り出る）起こる。（問4 参照）②引き起こす。 ③現れる。 ④消える。

問56 take off

【易】 「触れる」が take の原義。

直訳）接触状態から離れること。

ⓐ
同意語は？

<u>Take off</u> your shoes here.

① remove ② resume ③ reject ④ refuse

選択肢の訳

② <u>re</u>sume （再びとる。）取り戻す。 ③ <u>re</u>ject （投げ返す。）拒絶する。
  back take   back throw
④ <u>re</u>fuse （流れを押し戻す。）拒絶する。
  back current

ⓑ
同意語は？

The plane will <u>take off</u> at 6.

① transfer ② stop ③ set out ④ depart

選択肢の訳

① <u>trans</u>fer （横切って移動する）乗り換える。
  across carry
③ set out は、いろいろ準備して出かけるという意味から主語は人になります。

（問3 参照）

問55　答え　ⓐ②　ⓑ①

take place　ⓐ催される。　ⓑ起こる。

ⓐ**take place**　催される。

$$= be\ held$$

訳）祭りは明日催されるでしょう。

・place の原義は広い通り（plaza）で、take place は広い通りを占めるで「催される」（＝ be held）となります。「催す」ではありません。

ⓑ**take place**　起こる。

$$= break\ out = happen、occur$$

訳）ここではよく交通事故が発生します。

cf. 偶然、突然起こる場合には通例 happen、occur、break out を用い、take place は偶然起こる場合も、必然的に起こるという場合にも用います。

問56　答え　ⓐ①　ⓑ④

take off　ⓐ脱ぐ。　ⓑ離陸する。

ⓐ**take off A**　A を脱ぐ。

$$= \underline{re}move\ A（A を逆に動かす。）$$
back　動かす

訳）ここでは靴を脱ぎなさい。

・take の原義は「触れる」、「つかむ」ということで、分離の off を伴い接触している状態を離すということで「脱ぐ」になります。

ⓑ**take off**　出発する。

$$= \underline{de}part（離れ去る。）$$
off　去る

訳）その飛行機は 6 時に離陸します。

・地面と接触している状態から離れるで離陸する。

問57 <u>up to</u> たくさん意味があります。

【やや難】

ⓐ 責任の方向

同意語句は？

It is <u>up to</u> you what to do.

① depends on　② is responsible for　③ is reasonable to
④ is no matter to

選択肢の訳

②〜の責任がある。　③〜するのはもっともだ。　④〜にとって問題ではない。

ⓑ 心理的方向

同意語は？

I think he is <u>up to</u> something bad.

① hitting　② climbing　③ planning　④ lifting　　　（立命館大）

問58 <u>for nothing</u>

【標】

ⓐ for は方向。

直訳）nothing の方向に。

同意語は？

All my efforts were <u>for nothing</u>.

① unlikely　② in vain　③ unhappily　④ for granted　　（近畿大）

選択肢の訳

① unlikely　ありそうもない。　④ grant　認める。

cf. take A for granted　A を当然のこととみなす（直訳　A を認められたこととして受け取る）。

ⓑ for は交換。

直訳）nothing　と交換に。

同意語句は？

I got the book <u>for nothing</u>.

① free of charge　② for a charge　③ at a reasonable charge
④ with a charge　　　　　　　　　　　　　　（関西外大　改題）

選択肢の訳

②有料で。　③手ごろな値段で。　④充電された状態で。

問57 答え　ⓐ①　ⓑ③

<u>up to</u>　ⓐ〜次第。　ⓑ（何か悪いことを）企んで。

ⓐ<u>be up to A　A 次第である。</u>

　　　= depend on A

訳）どうすべきかは君次第だ。

・この up toは責任の方向を表します。Up to you！（君次第だ。）は会話でよく使います。

ⓑ<u>be up to　心理的方向を表す up to です。</u>

　　　　　　　　　　　　　（通例はよくないことに。）

　　　= be plannning

訳）彼は何か悪いことを企んでいると思います。

He is up to no good.　（よからぬことを企んでいる。）
What's he up to ?　（彼は何をやらかすつもりだろう。）

◎その他　up to

・<u>時の上限まで</u>	up to 1950（1950 年まで。）
・<u>地点部位の上限まで</u>	walk up to him（彼のところまで歩み寄る。）
	be up to one's knee in water（膝まで水につかっている。）
・<u>期待の上限まで</u>	live up to his father's expectation（父の期待にそう。）
・<u>程度の上限まで</u>	This camera is not up to much.(このカメラは大したものではない。)
・<u>数の上限まで</u>	up to 5 men（5 人まで。）
・<u>能力の上限まで</u>	He is up to the job.（彼はその仕事ができる。）
（〜できる）= be capable of	

問58 答え　ⓐ②　ⓑ①

<u>for nothing</u>　ⓐ無駄に。　Ⓑ無料で。

ⓐ<u>for nothing　無駄に。</u>

　　　= <u>in vain</u>

　　　状態 無駄、虚しさ

訳）私の努力はすべて無駄になった。

この forは leave for〜、made for、be bound for等の forと同様に方向を表す forで、
for nothing は何もない方へ向かうということで「無駄に」という意味になります。

ⓑ<u>for nothing　無料で。</u>

　　　= for free = free of charge

訳）無料で本をもらった。

この for は交換を表します。

・buy 物 for ¥1000　1000 円と交換に物を買う。
・pay ¥1000 for 物　物と交換に 1000 円を払う。
・for nothing は nothing と交換にということで無料という意味になります。

III．混同しやすい重要熟語

問59 be anxious about と be anxious for

【難】（前置詞の意味をしっかりとらえよう。）

（ヒント）anxious は "choke"（首を絞められる。）、すなわち「苦しむ」が原義。
aboutは「～について」、forは「～を求めて」。

適語選択

ⓐ I am very anxious (about, for) her poor health.

ⓑ I am very anxious (about, for) her arrival.

問60 be concerned about と be concerned with

（ヒント）concern　関心を持つ。

【標】　　　aboutはマイナスイメージを持つ「～について」を表す、withは「単に～に関して」を表す。

適語選択

ⓐ I am concerned (about, with) precious stones.

ⓑ I am concerned (about,　with) the threat

of a big earthquake.

・threat　脅威、脅し。
・precious　価値に富む。→貴重な。
＝price　～に富む

問59　答え　ⓐ about　ⓑ for

ⓐ <u>be anxious about A</u>

（A について苦しめられている。）→ A を心配している。

訳）彼女の虚弱な体を心配しています。

◎～を心配するの類語

> ～を心配するの類語はたくさんあります。
> be worried about、be concerned about、be uneasy about、
> care about、不思議なことにすべて about を伴っています。

ⓑ <u>be anxious for A</u>

（A を求めて苦しんでいる。）→ A を切望している。

訳）彼女が着くのを今か今かと待ちわびています。

◎～を切望するの類語

> be eager for、be ambitious for、long for（or after）、yearn for
> （or after）、すべて求めるという意味の for（or after）と連結しています。

問60　答え　ⓐ with　ⓑ about

ⓐ <u>be concerned with A</u>

（A について単に関心を持っている。）→ A に関心を持っている。

訳）宝石に関心があります。

ⓑ <u>be concerned about A</u>

（マイナス的に A について関心を持っている。）

→ A を心配している。

訳）大地震が発生する兆しを懸念しています。

問61　be impatient with と be impatient for

【やや難】（ヒント）with は原因、for は「〜を求めて」の意（impatient：イライラして）。

> 適語選択
> ⓐ She was impatient (with, for) those noisy boys.
> ⓑ She was impatient (with, for) the concert to begin.

cf. patient　（a）我慢強い、（n）（我慢する人）→患者
He is patient.　彼は我慢強い。　He is a patient.　彼は患者だ。
<u>im</u>patient（我慢強くない。）→イライラして、短気な。
not

問62　be familiar to と be familiar with

【標】（ポイント）to が来るのか、with が来るのかは主語が決めて！

◎ to は行為の対象「〜にとって」、with は親交（従って主語は人間）。

> 適語選択
> ⓐ I am familiar (to, with) the song.
> ⓑ The song is familiar (to, with) me.

問63　consult と consult with

【標】（ヒント）with があれば対等、なければ一方的。

> 適語（句）選択
> I advise you to (ⓐ　　　　　) your friend
> 　　　　　　　　　　　before you (ⓑ　　　　　) a lawyer.
> ① consult　② consult with

問61 答え　ⓐ with　ⓑ for

ⓐ be impatient with A　Aが（原因）でいらいらしている。

原因を表す with です。

cf. shiver with cold　寒さでふるえる。

・Jump with joy.　喜んで飛び上がる。

訳）彼女はそれらの騒々しい男の子たちに我慢できなかった。

ⓑ be impatient for A
（A を求めて我慢できない。）→ A が待ち遠しい。

訳）彼はコンサートが始まるのを待ちわびた。

□ ポイント

　　with は原因、for は「～を求めて」

問62 答え　ⓐ with　ⓑ to

ⓐ be familiar with A
A をよく知っている。A に精通している。

人を主語にとるときは、親交、調和を表す　with　を伴います。

訳）私はその歌をよく知っています。

ⓑ be familiar to A　A になじみがある。

事・物を主語に取るときは（～にとって）を表す　to　を用います。

訳）その歌になじみがあります。

□ ポイント

　　・人が主語 → with

　　・事・物が主語 → to

問63 答え　ⓐ②　ⓑ①

訳）弁護士に相談する前に友達と相談することをお薦めします。

対等の関係で、「相談する」は、consult with です。

一方的に意見を聞くような場合は、consult ＋ 目的語となります。

・consult a doctor　　・consult a dictionary

・頑固親父や怖い親父と相談する、は consult my father

・やさしい親父と相談する、は consult with my father

問64 catch up with A と keep up with A

【標】（ヒント）with は「～に関して」、 up は到達目標。

　　・catch up with A は、A に関して目標をとらえる。

　　・keep up with A は、到達した目標を keep する。

> 同意語は？
> ⓐ You should <u>catch up with</u> the class. (＝　　　　)
> ⓑ You should <u>keep up with</u> the class. (＝　　　　)
> ① overtake　② pursue　③ follow　④ exceed

　　選択肢の訳

> ②追求する。　④ <u>ex ceed</u>（越えていく）超越する。
> 　　　　　　　　越えて go

問65 consist of, consist in, consist with

【標】（ヒント）<u>con sist</u> 　　　・of 構成、 in「～の中に」、 with「～と共に」
　　　　　　　　　共に ＝ stand（在る、立つ）

> 適語選択
> ⓐ Japan consists (of, in, with) four islands.
> ⓑ Happiness consists (of, in, with) contentment.
> ⓒ Studying doesn't consist (of, in, with) playing.

　　・comtentment は、content（中身）が満たされた状態をさし、「ほどほどのところで満足している」こと。satisfaction は「十分に満足している状態」です。
　　cf. <u>satis fy</u>
　　　　十分に ～させる

問64　答え　ⓐ①　ⓑ③

ⓐ <u>catch up with</u> A　A に追いつく。

= <u>overtake</u> A
追いついて　捕らえる

訳）君はクラスの授業に追いつかなければならない。

ⓑ <u>keep up with</u> A　A についていく。

= follow　A

訳）君はクラスの授業についていかねばならない。

問65　答え　ⓐ of　ⓑ in　ⓒ with

ⓐ <u>con sist of</u> A　A から成る。
　 共に　在る

訳）日本は 4 つの島から成る。

consist の原義は、con 共に、sist = stand、stand には「存在（存続）する」「立つ」という意味があります。consist of の of は構成を表し、～で構成され存続しているということで「～から成る」という意味になります。

ⓑ <u>con sist in</u> A（― sist は「在る」の意で）A にある。
　 共に　在る

訳）幸せは足るを知ることにある。

ⓒ <u>con sist with</u> A　A と共に立つ。→ A と両立する。
　 共に　stand（立つ）

訳）勉強は遊びと両立しない。

問66 look (into, over, through)、look A up in B

【標】 すべて「調べる」という意味を持ちます。ニュアンスを知って使い分けましょう！

ⓐ look into

同意語は？

The police are now <u>looking into</u> the case.

① investigating ② abolishing ③ recognizing ④ removing

選択肢の訳

② abolish 廃止する。 ③ recognize 認める。 ④ remove 取り除く。

ⓑ look over

（over は全面に渡って。）

同意語は？

Will you <u>look over</u> my paper before I submit it ?

① admit ② appreciate ③ answer ④ check

選択肢の訳

①認める。　②評価する。

ⓒ look through

同意語は？

Please <u>look through</u> the accounts.

① examine ② read over ③ correct ④ manage

選択肢の訳

② read <u>over</u> 熟読する。 ③ correct 訂正する。 ④ manage 管理する。
　　　くわしく

ⓓ look A up in B

同意文は？

<u>Look the word up in a dictionary.</u>

同意文はどれか？

① Consult a dictionary for a word.
② Consult with a dictionary for a word.

問66 答え　ⓐ① 　ⓑ④ 　ⓒ① 　ⓓ①

ⓐ <u>look into A</u>　A を（いろいろな角度から）調べる。

= in<u>vestigate</u> A　警察的な調べ方です。
中 足跡を追う

訳）警察はその事件を調べている。

物とり
↓
怨恨 → 殺人事件 ← 痴情

cf. look into は中をのぞきこむという意味もあります。
　look into the mouth　口の中をのぞきこむ。

ⓑ <u>look over A</u>　A を全面に渡って見る。→ざっと調べる。

<u>訳）書類を提出する前にざっと目を通してくれませんか。</u>

・over には、～を越えてという意味で、～を見逃すという意味もあります。
　I can't look over such a mistake. そんな間違いを見逃すわけにはいきません。

look over ——— mistake ——➤

ⓒ <u>look through A</u>

A を（始めから終わりまで）徹底的に調べる。

訳）計算に目を通してください。

cf. look through は人を見抜くという意味もあります。
　look him through　彼の心を見抜く。

ⓓ <u>look A up in B</u>　A を B で調べる。

小さいものを大きいものの中で調べる。（consult に関しては問63 参照）

訳）その単語を辞書で調べなさい。

◎ "調べる" の類語

・in<u>spect</u>　（中を見る）念入りに点検する。調べる。
中 look
A buyer inspects a used car for defects.
買い手は欠陥がないかと中古車を念入りに調べます。
<u>defect</u>　完全な（perfect）状態から離された状態。→ 欠点、短所。
分離
・examine　原義は天秤で重さを量って調べるより正確に調べること。

◎まとめ

・look into　　　　　いろいろな角度から調べる。
・look over　　　　　ざっと調べる。
・look through　　　徹底的に調べる。
・look up 小 in 大　 小を大の中で調べる。

問67 <u>make the most of</u> と <u>make the best of</u>

【標】（ヒント）いずれも make use of 〜「〜を利用する」の最上級です。

> 適語句選択
> ⓐ He made (the best, the most) of his ability.
> ⓑ He made (the best, the most) of numerous adversities.

・<u>numer</u>ous 数多くの、おびただしい。　adverse 逆境。

number　〜に満ちた、多い

問68 <u>pull up</u> と <u>pull over</u>

【やや難】（ヒント）馬の手綱を pull することに由来、up は動作の完了、over は場所の移動。

> 適語選択
> ⓐ彼は駅前で車を止めた。
> 　　He pulled his car (up, over) in front of the station.
> ⓑ車を（道の片側に）寄せろ。
> 　　Pull (up, over)!

問67　答え　ⓐ the most　ⓑ the best

ⓐ <u>make the most of A</u>

（能力を最大発揮させて A を利用する。）　→　A を最大限利用する。

訳）彼は能力を最大限利用した。

make the most of は make use of 〜「〜を利用する」の最上級で、make the most use of の use の省略です。

ⓑ <u>make the best of A</u>

（悪い中にも A にできるだけ善処する。）→ A に最大限ベストを尽くす。

訳）彼は様々な悪条件の中、ベストを尽くした。

make the best use of の use の省略です。

問68　答え　ⓐ up　ⓑ over

ⓐ <u>pull up</u>　止める、止まる。

　　　　= stop

元来、馬の手綱を引っ張る（pull）ことを意味し、up は動作の完成を表します。したがって、馬とか馬車を止める or 止まるという意味であったのですが、現在では車等にも用いられています。

ⓑ <u>pull over</u>　側に寄せる。

この over は、Come over here.（こっちに来い。）の over と同様、場所の移動を表します。警察が、driver に向かってよく用いる表現です。

問69 put up with と put up at

【超難】(成り立ちの背景を理解しておこう。)

(ヒント) put up with の原義は、～に関して心配事を懐にしまい込んでおく。

put up at A　人 (or 自分自身) を A に置く。

適語選択

ⓐ We put up (at, with) an inn on the lake.

ⓑ We can't put up (at, with) the noise any longer.

・inn　旅館

cf. put up with の同意語。

・I can't <u>put up with</u> him.

　= stand = bear = endure = tolerate

・stand は、立ち続けることは忍耐を要することで→ひるまず我慢する。

・bear の原義は、「生む」ということから生みの苦しみというイメージで

　→苦痛を我慢する。

・endure 語源 en = in (～の状態で) + dure (持続する)。→長時間我慢する。

cf. 前置詞の during も時間の持続を表し、「～の間ずっと」という意味です。

・<u>tolerate</u> (行為に対して嫌悪感をもたずに) 我慢する、大目に見る。

　耐える ～にする

問69　答え　ⓐ at　ⓑ with

ⓐ <u>put up at A</u>　A に泊まる。

　= stay at A = stop at A

訳）私たちは湖畔の宿に泊まった。

理解の仕方

at は場所の一点、up は finish up（仕上げる。）、drink up（飲み干す。）、write up（書き上げる）等の動作の完成、終結に向かう up で、人を泊めるという場合には、put 人 up at 場所となり、I put him up at my house. は、（私は彼を私の家に泊めた）。主語が泊まるという場合には、oneself の省略と考えます。

　We put（ourselves）up at an inn.

・put の原義は、「～を位置させる。」

　直訳）私たちは自らを inn にしっかり位置させた。

・put up at は、主に食事付き宿泊。

ⓑ <u>put up with A</u>　A を我慢する。

　　　= stand A = bear A = endure A = tolerate A

訳）その騒音にはこれ以上我慢できない。

日常会話にもよく用いられ、テストにも頻出です。

理解の仕方

口語英語大辞典（朝日出版社）によりますと、「put up something は 13 世紀頃から何かをポケット、袋、ビンなどにしまっておく」という意味で使われていました。のちに「不満、侮辱に対する怒りなどを懐にしまっておく」、つまり我慢するという比喩的な意味にも使われるようになったのですが、18 世紀になり with が入り、put up with something と with が入り「我慢」するという意味になったということです。

◎ まとめ

put up at = stay at = stop at　　～に泊まる。

put up with = stand = bear = endure = tolerate　　～を我慢する。

問70 <u>result from</u> と <u>result in</u>

【易】 直訳)「～からとびだす」 と 「跳ね返ってきて～の状態になる」
from は原因、 in は状態。

> 適語選択
> ⓐ His love affair resulted (from, in) their divorce.
> ⓑ Their divorce resulted (from, in) his love affair.

・divorce 離婚　　cf. get a divorce from A　Aと離婚する。

問71 <u>succeed to</u> と <u>succeed in</u>

【標】（to は前置詞であることに注意！）

to は動作の対象。
succeed の原義は「引き継ぐ」。 引き継ぎがうまくいけば「成功する」と覚えておこう。

> 適語選択
> ⓐ He succeeded (in, to) his father's job.
> ⓑ He succeeded (in, to) passing the entrance examination.

（注意）よくする間違い！

> ・「彼はそれをすることに成功した。」 は、
> ✕ He succeeded to do it.
> ○ He succeeded in doing it.
> となり、succeed は不定詞を従えることはありません。succeed to の to は前置詞である事に注意してください。

cf. 接尾語　—ceed、—cede （= go）

> ex ceed（～を超えて行く。）→ 超過する。　pro ceed 前進する。　re cede 後退する。
> out go　　　　　　　　　　　　　　　　前 go　　　　　　back go
> pre cede（順番が前に行く。）～に先んじる、～に優先する。　suc ceed 引き継ぐ、成功する。
> 　前 go　　　　　　　　　　　　　　　　　　　　　　　下 go

問70　答え　ⓐ in　ⓑ from

ⓐ result in A　A に終わる。

= end in A

訳）彼の浮気が彼らの離婚を招いた。

<u>re</u>sult in their divorce　　in は状態、離婚という状態に終わる。
back spring（跳ね返る）

ⓑ result from A　A から生じる。

訳）彼らの離婚は彼の浮気から生じた。

result from his love affair　彼の浮気が原因で生じる。（from は原因）

◎その他原因を表す from

・be tired from overwork　過労で疲れている。
・suffer from cancer　ガンが原因で苦しむ。→ ガンにかかっている。

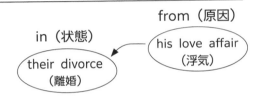

問71　答え　ⓐ to　ⓑ in

ⓐ succeed to A　A を引き継ぐ。

= take over A

訳）彼は父の仕事を引き継いだ。

to は動作の対象を表し、祖父から父に、父から息子にという　祖父┐
感じで A を引き継ぐ、という意味になります。　　　　　　　　└父┐
　　　　　　　　　　　　　　　　　　　　　　　　　　　　　　└息子

ⓑ succeed in A　A に成功する。

訳）彼は入試に合格した。

引継ぎからうまくいけば成功すると覚えておこう。例えばバレーボールで A から
B、B から C とボールをパスし、最後にパシッとボールを打って成功するという
イメージで覚えておこう。

◎ まとめ

・succeed to（名詞、代名詞、動名詞）　〜を引き継ぐ。（= take over）
・succeed in（名詞、代名詞、動名詞）　〜に成功する。
　succeed to do　は不可。

問72 <u>day by day</u> と <u>day after day</u>

【標】（ポイント）起こる内容に重きを置くか、過ぎ行く時の長さに重きを置くかの違い。

> 適語句選択
> ⓐ彼は日ごとに全快に向かっている。
>   He is getting better（① day by day　② day after day）.
> ⓑ毎日毎日行進した。
>   We marched（① day by day　② day after day）.

問73 <u>on the contrary</u> と <u>to the contrary</u>

【やや難】（ポイント）文修飾と語句修飾の違い。

> 適語選択
> ⓐ（On, To）the contrary, he said nothing.
> ⓑ He said nothing（on, to）the contrary.

問74 <u>a number of</u> と <u>the number of</u>

【やや難】（a = one ではありません。）

> 適語選択
> ⓐ The number of students
>   in this college（is, are）increasing.
> ⓑ A number of students
>   （was, were）invited to the meeting.

豆知識

a lot of の a は one、lot は unit（集団）、羊とか鹿の群れを表し、1つの群れの中に羊とか鹿が多くいるイメージから「many」の意味が生まれ、のちに「much」の意味も持つようになりました。

問72 答え ⓐ① ⓑ②

ⓐ <u>day by day</u>　日ごとに。

by は単位の連続を表します。piece by piece（1 個ずつ）、little by little（少しずつ）、step by step（1 歩ずつ）、one by one（1 人ずつ）等の by と同義です。（問109 参照）day by day は同じ場所にいて、動作あるいは状態が繰り返すことに用いられ、起こることに重きがあります。すなわち例文において、元気になっている（getting better）ということが言いたいのです。

ⓑ <u>day after day</u>　毎日毎日、来る日も来る日も。

one after another（day）の意で、今日も明日も明後日も、毎日毎日という具合に、過ぎ行く時の長さに重きがあります。

問73 答え ⓐ on ⓑ to

ⓐ <u>on the contrary</u>　**「これに対して」「それどころか」は副詞句で、節の初めに来る文修飾。**

= on the other hand

訳）これに反して彼は何も言わなかった。

ⓑ <u>to the contrary</u>　**（その反対の）は直前の名詞を修飾する形容詞句で、語句修飾。**

訳）彼はその反対のことは何も言わなかった。

問74 答え ⓐ is ⓑ were

ⓐ <u>the number of A</u>　A の数。

訳）この大学の学生数は増えつつある。

ⓑ <u>a number of A</u>　多くの。

= numbers of = many

訳）多くの学生がその会合に招待された。

the number of A、the は限定を表し、A の数ということでそれに続く動詞は単数になります。a number of には some と many と両方の意味がありますが、多くの場合、多数の意味を持ちます。a number of の a は some の発音 [sΛm] のΛ（ア）からきています。したがって a number of は元来いくらかの意味であったものが、「多くの」という意味でも使われるようになりました。はっきり区別するときは、a small number of（いくらかの）、a large number of（多くの）とします。

問75 <u>at last</u> と <u>after all</u>

【標】 いずれも「ついに」と、訳は同じでも用法が異なる。

（ヒント）・at last は最後の瞬間に。

・after all は「あれやこれや言ったり考えたりした後で」の意。

> 適語句選択
>
> ⓐ （① At last ② After all）, he came.
> ⓑ （① At last ② After all）, he didn't come.

問76 <u>at a distance</u> と <u>in the distance</u>

【やや難】（ヒント）at は場所の一点に立って、in は広い視界の中にとらえた景色。

> 適語句選択
>
> ⓐ遠方にヨットが見えます。
>
> I see a yacht (① at a distance ② in the distance).
> ⓑ少し離れて見ると、彼女はかわいらしく見える。
>
> She looks pretty (① at a distance ② in the distance).

問77 <u>in spite of</u> と <u>with all</u>（= for all）

【やや難】「〜にもかかわらず」と訳は同じでも用法が異なる。

（ヒント）・spite は「悪意」。

・with all は「あらゆるものを持っている（備えている）のに」という意味。

> 適語句選択
>
> ⓐ雨にもかかわらず彼は出かけた。
>
> （① In spite of ② With all） the rain, he went out.
> ⓑ成功したのに幸せと思わない。
>
> He doesn't feel happy
>
> 　　　　　（① in spite of ② with all） his success.

（注）

・in spite of と despite は同意ですが、despite は文語によく用いられます。despite は昔は of がありましたが、現在では消失していることに注意。

・<u>With all his faults</u>, I still love him.（= In spite of his faults）「欠点があるにもかかわらず、彼をまだ愛する。」というように、どちらを使ってもいい場合もあります。

問75 答え　ⓐ①　ⓑ②

ⓐ at last　ついに（肯定文で）。
　　　　= in the end = at length

訳）ついに彼は来た。

at last は、最後の瞬間にという意味で肯定文に用いられ、待ち望んでいたことが実現されたことに重点があり、at length は通例文頭に置かれ、時間の経過に重点を置きます。

ⓑ after all　ついに（結局）（否定文で）。

訳）ついに（結局）彼は来なかった。

after all は after all is said and done（あれこれ言ったりしたりした後で）とか、after all has been considered（いろいろ考えた後で）という意味で、努力した結果～しなかったという意味でとらえ、否定文に用います。

問76 答え　ⓐ②　ⓑ①

ⓐ in the distance　遠方に。

in は広い、at は狭い場所を表す前置詞です。in the distance における the は限定を表すので、一定の距離の広い視界の中に捉えた景色が想像されます。

ⓑ at a distance　少し離れて。

at は場所の一点で、a は a certain の意味で、ある離れた場所の一点から見た景色です。

問77 答え　ⓐ①　ⓑ②

ⓐ in spite of A　A にもかかわらず。
　　　　= despite A

・spite は despite の省略形で悪意、恨みという意味です。
　cf. He broke my car out of spite.（腹いせに私の車を壊した。）
・従って、in spite of は悪い環境 or 条件の中で、～にもかかわらずという意味合いで、好ましくない状態に用いられます。

ⓑ with all A　A にもかかわらず。
　　　　= for all A

with or for に「～にもかかわらず」という意味があり、all はあらゆるという意味です。
・with は付帯状況。　・for は譲歩。
・with all は「～を持っているにもかかわらず」という意味で用いられるので with all the rain は不可。

問78 at first、for the first time、the first time

【標】（ヒント） at は「短い時間」。for the 序数詞は「～度目に」。

> 適語句選択
> ⓐ I met him (　　　　　　　) in ten years.
> ⓑ (　　　　　　　), I couldn't recognize him.
> ⓒ (　　　　　　　) I met him, he was still young.
> ① at first ② the first time ③ for the first time

・<u>re cognize</u>（前に一度面識があって再び会ったとき、その人（物等）であるとい
again know　　うことがわかること）認める。

問79 (on, at, in) the corner

【標】（ヒント）on は「かど」、at は「場所の一点」、in は「隅」。

> 適語選択
> ⓐ There is a post (at, on, in) the corner.
> ⓑ There is a tabacco shop (on, in, of) the corner.
> ⓒ There is a toilet (on, in, of) the corner of this park.

問78　答え　ⓐ③　ⓑ①　ⓒ②

ⓐ <u>for the first time　初めて。</u>

訳）10年で初めて（10年ぶりに）彼にあった。

for は序数を伴って、「～度目に」を表します。

cf. for the second time　二度目に。for the last time　これを最後に。

ⓑ <u>at first　初めのうちは。</u>

訳）初めのうちは彼であることがわからなかった。

at 7「7時に」というように at は「時間の一点」、すなわち「短い時間」を表し、at first は「初めのうちは」という意味になります。

ⓒ <u>the first time　初めて～する時。</u>

訳）初めて会ったとき、彼はまだ若かった。

the first time は、everytime、next time、once と同様に文頭に置かれて接続詞の働きがあります。

問79　答え　ⓐ at　ⓑ on　ⓒ in

ⓐ <u>at the corner</u>

訳）角のあたりにポストがあります。

at は「場所の一点」を表し、角のあたりとか、角を回るときに用います。

Turn right at the corner.

ⓑ <u>on the corner</u>

訳）角にタバコ屋があります。

on は「角」、例えば角にタバコ屋があるというようなとき（この場合は at も用います）。

タバコ

ⓒ <u>in the corner</u>

訳）公園の隅にトイレがあります。

in は「隅」、公園の隅にトイレがあるというような時とか、隅にゴキブリがいるというような時。

There is a cockroach in the corner.

トイレ

問80 「〜している最中」を表す3つの前置詞

【標】 **at, on, under**

（ヒント）at は「従事」、on は「活動中」、under は「行為の過程」を表します。

> 適語選択
> ⓐ彼は航海中です。
>   He is (at, on, under) sea.
> ⓑ彼は仕事中です。
>   He is (at, on, under) duty.
> ⓒその車は修理中です。
>   The car is (at, on, under) repair.

EXERCISE

（　　　）の中に at, on, under を入れよ。

1. 彼女は食事中です。　　　She is （　　　　） table.
2. 今、考慮中です。　　　　It is （　　　　） consideration.
3. 彼らは礼拝中です。　　　They are （　　　　） church.
4. 街が燃えています。　　　The town is （　　　　） fire.
5. その法案は検討中です。　The bill is （　　　　） discussion.
6. 彼は仕事中です。　　　　He is （　　　　） work.
7. それは調査中です。　　　It is （　　　　） examination.

bill　請求書、手形、紙幣、法案、ちらし、ポスター

答え

1. at　2. under　3. at　4. on　5. under　6. at　7. under

問80 答え　ⓐ at　ⓑ on　ⓒ under

ⓐ **従事を表す at。**

無冠詞の名詞と結びつきます。

・He is at sea.　彼は海に従事しています。→ 航海中です。

　　cf. go to sea と go to the sea の違い。その前に go to school は本来の目
　　　　的で目的で行く、即ち生徒と先生が授業を受けたり教えたりする目的で行く
　　　　ことです。

・go to the school は犬の散歩とか大工さんが修理に行く等、その場所に行くこ
　とです。

　　同様に go to sea は本来の目的で行く、すなわち船乗りになる、go to the
　　sea は釣り、海水浴等場所に行くということです。

・be at play（遊びに従事している。）→ 遊んでいる最中。

・be at rest　休憩中。

ⓑ **活動中を表す on。**

抽象名詞と結びつき、状態が続いていることを表します。

・on duty は仕事中（= at work）。

・off duty は非番。

・on sale は発売中。

ⓒ **動作の行為の過程を表す under。**

抽象名詞と結びつき、今は進行中だけれども、いずれは終わるという意味合いを
持ちます。

・It is under construction.　それは建設中です。

Ⅳ．理解しにくい重要熟語

問81　be at a loss

【難】（ヒント）犬が臭跡を失うが原義。at は状況の一点。

> 同意でないのはどれでしょう。
> I am at a loss what to do.
> ① bewildered　② embarrassed　③ perplexed　④ amazed

選択肢の解説

> ・be bewildered　当惑している。
>   　　荒野 = lead
>
> 古くは荒野に導き出されて迷っている状態を表します。
> confuse より意味合いも強く、今では用いられることも少ないようです。
>
> ・be embarrassed　当惑している、ばつの悪い思いをする。
>   　　中に 棒
>
> 「進行方向に棒を突っ込まれる」が原義で、不快の感情や心の混乱を意味します。
>
> ・be perplexed　当惑している。
>   　　完全 = twisted
>
> 毛糸や釣り糸が完全にもつれているような意味合いで、頭の中が疑問や不可解
> でごちゃごちゃしている感じ。
>
> ・be amazed　びっくり仰天している。
>   　　強意 まごつかされている

問82　be about to

【易】be going to よりも差し迫った未来を表します。

> 適語補充
> He was about to kill himself.
> = He was on the (　　　) of killing himself.

cf. be about to の about については、市河三喜博士は近代英語で、「前置詞の
次に不定詞は用いないが、ただ唯一の例外が about である。」と英米語用法辞典
（開拓社）。
また「ジーニアス大辞典」には、形容詞と考えられるとも。

問81 答え ④

be at a loss　当惑している。

訳）どうすべきか途方に暮れています。

もともと狩猟用語で、猟犬が臭跡を失って進行方向を定めかねている状態をさしています。

（注）
例文はもともと I am a at loss (as to) what to do. の as to（～に関して）が省略されたものです。近頃では as to が復活しつつあるということです。as to の代わりに about を使った文も見られます。

cf. I have no idea what to do. = I don't know what to do. も
　　no idea の後に as to が省略されています。

問82 答え point

be about to　まさに～しようとしている。

　　　= be on the point of

訳）まさに自殺しようとしていた。

about は ab（= near）と out の合成語です。kill himself に向かって、そのまわりにあるという感じ（be going to より差し迫った未来を表します）。point とは先端という意味で、その先端にいて、まさに飛び降りようとしているイメージで覚えればわかりやすいでしょう。

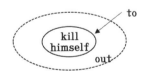

on the point of = on the edge of = on the brink of
　　　　　　　　　　　　　　　　　　　　　　　　縁

問83 <u>be subject to</u>

【やや難】（ヒント） sub（〜の下に） ject（投げ出された）、強いものの下に投げ出されたイメージ。

> 同意語句は？
>
> Japan <u>is subject to</u> America in every respect.
>
> ① is affected by　② is sensitive to　③ is sensible about
> ④ is dependent on

選択肢の解説

> ① <u>affect</u>　〜に働きかける。　→　〜に影響する。
> 　　to do, act
>
> ② <u>sensi tive</u>　感じやすい、敏感な。
> 　　感じる 傾向がある
>
> ③ <u>sensi ble</u>　（善悪を）感じることができる。→ 分別がある。
> 　　感じる できる
>
> ④ <u>de pendent</u>　（マイナス方向にぶら下がる。）→ 依存している。
> －方向 ぶら下がる

問84 <u>behave oneself</u>

【標】（ヒント） well を補って考えます。親が子に対してよく用いる表現です。

> 適訳は？
>
> Tom, <u>behave yourself</u>.
>
> ①ありのままにふるまいなさい。　②大胆にふるまいなさい。　③行儀よくしなさい。

問85 <u>bring about</u>

【標】 bring は招く。この about は一体何だろう？

> 同意語は？
>
> Your conduct might <u>bring about</u> misunderstanding.
>
> ① cause　② take　③ increase　④ carry

問86 <u>come about</u>

【標】 come はやってくる。この about は一体何だろう？

> 同意でないのは？
>
> No one knows when a big accident will <u>come about</u>.
>
> ① break out　② occur　③ set about　④ take place

問83　答え　①

<u>be subject to A</u>　A の影響、支配を受けやすい。

訳）日本はあらゆる点でアメリカの影響を受けやすい。

<u>sub</u><u>ject</u>　　　　下に投げ出されたということから be subject to は上
下に　throw　　　にいるものの影響を受けやすいという意味になります。

cf. 名詞の subject（主題、議題、テーマ）はある事柄、問題の下に投げ出され
　　たものという意味です。

cf. 接尾語 —ject (=throw)

<u>e</u>ject out	外に投げ出す。→ 放出する、排出する。	<u>pro</u>ject 前	前に投げ出す。→ 計画する。
<u>in</u>ject 中	中に投げ込む。 　　→ 注入する、注射する。	<u>re</u>ject back	投げ返す。→ 拒絶する。

問84　答え　③

<u>behave yourself</u>　行儀よくしなさい。

これは主に、親が子に対して用いる表現であり、分かりきっている well の省略です。
Behave yourself well.「おりこうちゃんに振る舞いなさい。」という意味です。

問85　答え　①

<u>bring about A</u>　A を引き起こす。
　　　　= cause A

訳）君の振る舞いは誤解を引き起こしかねない。

理解の仕方

Your conduct might bring misunderstanding about (yourself).
と考え、君の振る舞いが君の周辺（about）に誤解を bring（もたらす）かもし
れない。すなわち「誤解を引き起こすかもしれない」という意味になると考え、
前置詞の about を前に移して副詞化したと考えればよいでしょう。

問86　答え　③　set about A　A にとりかかる。

・<u>set</u> <u>about</u> the work　仕事にとりかかる。
（心を）向ける　～のまわりに

<u>come about</u>　起こる、発生する。
　　　　= occur = break out（問4 参照）= take place（問55 参照）

訳）誰もいつ大きな事故が起こるか分からない。

理解の仕方

come about (yourself) と考え、あなたの周りにやってくる、すなわち、「起こる」
という意味になると思えばよいでしょう。

cf. bring about 引き起こす（問85 参照）は人為的、come about は自然発生
的要素が強い。

問87 come by

【標】（ヒント）by は near よりも近く、接触していることもある。

> 同意でないのは？
> How did you <u>come by</u> so much money ?
> ① obtain　② acquire　③ get　④ deprive

選択肢の訳

> ① <u>ob tain</u>　～を入手する、物を努力して手に入れるという意味。
> ～に向かって 持つ
> ② <u>ac quire</u>　（時間をかけて）自分の力で入手すること、獲得する。
> 　　　～を seek（探し求める）
> ④ <u>de prive</u>　プライベートなものを引き離す。→ 奪う。
> 分離 private

問88 come to

【難】（ヒント）to の後に one's senses が省略。　・sense　感覚、意識、正気。

> 同意語句は？
> When he <u>came to</u>, he was lying on the bench.
> ① regain consciousness ② regain power ③ regain weight ④ regain health

・<u>re gain</u>　取り戻す　・<u>con scious ness</u>　意識、自覚
again 手に入れる　　　　強意 知っている

問89 call A names

【標】（ヒント）名前を呼ぶではありません。names はアホ、バカ、マヌケの代名詞のようなものと考えます。

> 適訳は？
> He <u>called</u> me <u>names</u>.
> ①彼は私にいろいろなニックネームをつけた。　②彼は私を高く評価した。
> ③彼は私の悪口を言った。

cf. 日常会話では悪口を言うは、speak bad of others もよく使われます。

問90 call it a day

【標】（ヒント）a day は一日の仕事の量のことです。

> 適訳は？
> Let's <u>call it a day</u>.
> ①いつの日かそれを思い出そう。　②今日はこれでおしまい。
> ③いつかそれを要求しよう

問87 答え ④ deprive 奪う

come by　入手する。

　　　= obtain = acquire = get

訳）どのようにして、そんな大金を手に入れたんだい。

by は接触を表し、触れるほどのところにやってくる、すなわち「入手する」という意味になります。

問88 答え ①

come to　意識を回復する。

　　　= recover（= regain）consciousness

訳）彼は気づいたとき、ベンチに横になっていた。

・come to の後に one's senses が省略され、意識のない状態から意識のある状態になるということで、意識を回復するという意味になります。

問89 答え ③

call A names　A の悪口を言う。

He called me names. は He called me Tom.（彼は私をトムと読んだ。）と同様 S ＋ V ＋ O ＋ C 構文であり、names と複数形になっているのは、日本語でも悪口を言う時はアホ、バカ、マヌケなどと言うように、複数の類語を並べます。names はそれらの語句の代用と思えばよいでしょう。

cf. 受験英語では、speak ill of others（他人の悪口を言う。）がよく用いられていますが、この表現は欧米人は今ではあまり使用していないようです。

問90 答え ②

call it a day　その日の仕事を終え。

これは仕事を切り上げる時に使う表現で、a day は一日の仕事量を表しています。

it は状況を表し、これで今日のノルマを果たしたことにしておこう、というニュアンスです。

cf. call it a night は夜の仕事を終える。

問91 <u>feel ill at ease</u>

【難】直訳）ease（安らぎ）に at（向かって）ill（好ましくなく）感じる。

適語句選択
I <u>feel ill at ease</u> in public.
① feel uncomfortable ② feel disappointed ③ feel tired
④ feel exhausted

選択肢の訳

①不快に感じる。　②がっかりする。　③疲れる。
④<u>ex</u>haust(エネルギーを)外にくみ出す。exhausted = tired out 疲れ切っている。
　out くみ出す

問92 <u>give in to A</u>

【超難】（ヒント）give（oneself）in（surrender）to A の略と考えましょう。
　　　　・give ゆだねる。　・in 状態。　・surrender 屈服。

適語句選択
Don't <u>give in to</u> their bullying.
① oppose ② submit to ③ attend to ④ deny

bullying いじめ。

選択肢の訳

①〜に反対する。　③〜に専念する。　④〜を否定する。

豆知識

bully の語源はオランダ語の boele（恋人）で、良い意味で用いられていましたが、「向こう見ずの男」を経て、「ごろつき」の意になった。
（ランダムハウス英和大辞典）

問93 答え ③

hand in A　Aを提出する。

訳）私は月曜日までに、レポートを提出しなければならない。

理解の仕方

hand in の in は一体何でしょう。hand 自身に「渡す」という意味があるので、in の次に the room や the office など場所の名詞の省略と考えればよいでしょう。
例えば、hand a report in (his office) とすれば、部屋の中で手渡す、即ち「提出する」という意味になると考えられます。
hand in = turn in = submit（〜の下に送り込む）提出する。
この turn は「物を〜へ移す」という意味。

問94 答え ①

hang up　電話を切る。

訳）切らずにそのままお待ちください。

理解の仕方

hang up「ぶら下げる」　昔の電話器では、レシーバーをレシーバー受けの装置にぶら下げるとその重みで電話が切れる仕組みになっていました。
一方的に電話を切るという意味もあります。
cf. hang-up calls　いたずら電話。

問95 答え ②

make (both) ends meet　どうにかやっていく。
　　　= manage

訳）収入は少ないですが、どうにかやっていけます。

故事伝説由来辞典によりますと、これは 16、17 世紀の帆船にまつわる話で、大型船には多くのロープが使用され、船主は節約のためにロープが切れても新品を買わずに、ロープの端をつなぐように言いつけたことから、「いかに貧しくとも自己の収入内で生活すること」。また帳簿など「収入と支出の数字を合わせる」が原義であるとする参考書もあります。
both は多くの場合省略します。

問96 order A from B

【やや難】（ヒント）order A（to be sent）from B の省略です。

> 適訳は？
> I ordered some books from England.
> ①イギリスから本を注文した。　②イギリスに本を注文した。
> ③本を注文してイギリスに送った。

問97 pull one's leg

【やや難】足を引っ張るではありません！　おもしろいルーツがあります。

> 同意語は？
> He is just pulling your legs.
> ① shouting ② pretending ③ teasing ④ scolding

◎類語

・kid　冗談を言ってからかう（= joke）。kid（ⓝ）子ヤギ、未熟者、子供。
・play a trick on　いたずらをしてからかう。
・tease　ちょっといじめてからかう。
・make fun of　バカにしてからかう。= make a fool of

問98 see you home

【やや難】家で会うのではありません。

　　　（ヒント）see you go home の省略と考えます。

> 適訳は？
> I'll see you home.
> ①家で会いましょう。　②家まで送ってあげましょう。
> ③あなたの家の調査をしてあげましょう。

問99 send for

【標】（ヒント）send（someone）for の省略と考えます。　for は「求めて」の意。

> 適訳は？
> He is very ill. Send for a doctor.
> ①医者に手紙を送れ。　②医者に伝えろ。　③医者を呼びにやれ。

問96　答え　②

order A from B　A に B を注文する。

> 理解の仕方

I ordered some books (to be sent) from English.
本がイングランドから贈られるように注文した。to be sent の省略です。
「～に注文する」ということで、order A to B としたくなりますが、to にならないことに注意してください。

問97　答え　③

pull one's leg　（だまして）からかう。

訳）彼はからかっているだけだ。

口語でよく用いる表現です。この句のルーツを「英米故事伝説辞典」（冨山房）より引用します。
『この句は、もともと冗談（prank）や悪ふざけ（practical joke）をいったものではなく、ロンドンの下層社会から出たものであり、ロンドンの裏町の盗賊どもは、取っ手の曲がったステッキを用いたり、ワイヤーや網を用いたりして、裏町通りに入ってくる歩行者をひっくり返す技にたけていた。「カモ」が横倒しになったが最後めぼしいものを奪い取った。この句が一般に、人をつまずかせる不慮の災難を意味し、人をからかうこと、そうしてその無知を暴露するようになる意味となった』と。要するに pull one's leg は、騙してからかうという意味です。

問98　答え　②

see you home　家まで送る。

知覚動詞 see ＋ 人 ＋ 原形　（人が～するのを始めから終わりまで見ている。）
知覚動詞 see ＋ 人 ＋ ～ ing　（人が～するのをちらっと見る。）
＝ I'll see you home.　go の省略と考えます。
＝ I'll see you (go) home.
あなたが家に帰るのを、始めから終わりまで見る、すなわち「見送る」という意味になります。
see you to the station　駅まで送りましょう。

問99　答え　③

send for A　A を呼びにやる。

send (someone) for a doctor
医者を求めてだれかを送るという意味。someone の省略です。

問100　rise to one's feet

【超難】この to の意味は？　この to は寝ている状態から両足が地面についている状態（on one's feet）に至ることを表します。

> 同意語句は？
> When the principal entered, all the students <u>rose to feet</u>.
> ① sat down　② knelt down　③ stood up　④ walked away

・principal　校長

選択肢の訳

> ② kneel down　ひざまづく。

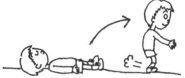

問101　turn up

【標】（ヒント）池のコイが turn して水面に up するイメージ。

> 同意語は？
> He <u>turned up</u> at last.
> ① vanished　② extinguished　③ disappeared　④ appeared

選択肢の解説

> ① vanish ＝ disappear　消える。
> 　vanish（突然、完全に）蒸気（vapor）のように消える。
> 　The UFO vanished from sight.　UFO は視界から消えた。
> ② <u>ex</u>tinguish　消す。
> 　強意　消す
> ③ disappear（徐々に or 突然に）消える。

問102　as good as

【標】good は「よい」ではありません。good は名詞で価値、程度を表します。

> 同意語は？
> He is <u>as good as</u> dead.
> ① practically　② particularly　③ especially　④ eternally

選択肢の訳

> ①実質的に、事実上。　②特に。　③特に。　④永遠に。

cf. especially は particularly よりも強意的。

問100　答え　③

rise to one's feet　ぱっと立ち上がる。
= get, come

訳）校長が入ってくると、学生たちはみな立ち上がった。

寝ている状態から両足が地面に接触するようになるということで「ぱっと立ち上がる」。

問101　答え　③

turn up　現れる。
= show up = appear

訳）彼はついに現れた。

・turn up は他にラジオ、テレビなどの音を大きくする、明かりを明かるくするという意味もあります。

（反意語）turn down

問102　答え　①

as good as A　（A と同じ程度。）→ A と同然。

訳）彼は死んだも同然だ。

・as good as は等価値 or 同程度を表し、死んだのと同じ程度、即ち死んだも同然となります。

◎価値、程度を表す good の例文。

> ・Is this any good ?
> （これが何の価値があるのか。→ これが何の役に立つのか。）
> ・He is no good any more.
> （彼はもはや何の役にも立たない。）
> ・It is no good arguing with him.
> （彼と議論しても無駄だ。）
> ・He is as good as told me that I was a liar.
> （彼は私が嘘つきであると言ったも同然だ。）

問103 <u>by and large</u>

【やや難】by は接近、large は広い範囲。

> 同意でないのは？
> Sometimes my job is boring, but <u>by and large</u> I enjoy it.
> ① on the whole ② frankly ③ generally ④ in general

選択肢の訳

> ②率直に。 ③④一般的に。

問104 <u>by chance</u>

【標】by は「〜に関して」、chance は「めぐり合わせ」

> 同意語は？
> I met him <u>by chance</u> at the station.
> ① purposely ② actually ③ accidentally ④ unluckly

選択肢の訳

> ① purposely = on purpose 故意に。わざと。 ②現実に。実際に。

問105 <u>once (and) for all</u>

【標】for は交換、すべてと交換に、一回きり。

> 同意語句は？
> Listen to me <u>once (and) for all</u>.
> ① only once and never again ② all at once
> ③ so often ④ once in a while

選択肢の訳

> ②突然に。（＝ suddenly） ③非常に。しばしば。 ④たまに。

問103　答え　②

by and large　概して、一般的に。

= on the whole = generally = in general

訳）私の仕事は、退屈なところもあるが、概して私は仕事を楽しんでいる。

・by は near よりも接近した位置関係を表し、large は広い範囲を表し、間近な範囲でも広い範囲でもというニュアンスになり、おしなべて「概して」という意味になります。

問104　答え　③

by chance　偶然に。

= by accident = accidentally

訳）彼に偶然駅で出会った。

・by は「〜に関して」の意味です。
chance の原義は「偶然落下する」で「偶然」「めぐり合わせ」という意味になります。
・accident の原義も「〜に降りかかってくる」。
〜に = fall 落下する　　　　　　　　→　偶然の出来事、事故、めぐり合わせ。

◎その他「〜に関してを表す」by

> ・I know him by name, but not by sight.
> 名前は知っているが、顔は知りません。
> ・He is a lawer by profession.
> 職業は弁護士です。
> ・He is Italian by birth.
> 生まれはイタリアです。

問105　答え　①

once (and) for all　今度限りきっぱりと。

訳）私の言うことをもう一度だけ聞いてちょうだい。

この for は交換を表す for で、「これからする全ての listen to me と交換に、今回 1 回だけ聞いてちょうだい。」ということ。

once for all = once and for all と無意味の and が入ることもあります。

問106　for good

【やや難】good は「よい」ではありません。

なぜ永遠（= for ever）という意味に？

> 同意語は？
> He left Japan <u>for good</u>.
> ① willing　② truely　③ eternally　④ gradually

選択肢の訳

> ①喜んで。　②本当に。　④徐々に。

問107　<u>head over heels</u>

【難】「かかとの上に頭」でなぜ逆さま？

> 同意語句は？
> He fell <u>head over heels</u>.
> ① upside down　② wrong side up　③ back to front

選択肢の訳

> ②裏返しに（= inside out）。
> 　Your sweater is wrong side up.　セーターが裏返しですよ。
> ③前後逆に。
> 　Your sweater is back to front.　セーターが前後逆ですよ。

問108　<u>in person</u>

【やや難】（ヒント）in は状態。代理人でなく個人（本人）そのものの状態で。

> 同意語は？
> He went to the police <u>in person</u>.
> ① secretly　② certainly　③ directly　④ solely

選択肢の訳

> ①ひそかに。　②たしかに。　③直接。　④単独で。

問106　答え　③

<u>for good</u>　永遠に。

　　　　= for ever = eternally = parmanently

訳）彼は永遠に日本を去った。

> 理解の仕方

・for は交換を表し、I bought it for ¥1000.　1000 円と交換に物を買う。
　I paid ¥1000 for it.　物と交換に 1000 円を払う。
・物と金 or 金と物の間には、交換を表す for が挟まります。
・for good は for good（and all）の省略されたものです。
・good and とか、nice and は次に来る語句を強調します。
　I am good and tired. = I am very tired.
　He is good and happy. = He is very happy. となります。
・同様に、Good-by for good and all. と言えば、good and は all を強調し、これから言う全ての good-by と今回 1 回限りの good-by を交換するという意味になると考えられます。従って、for good は「これを最後の行為として、これっきり」という意味で、1 回の行為、動作を表す動詞とともに用いられ、for ever は for all future time「これから先、いつまでも」という意味で、状態が続く表現とともに用いられます。I love you for ever. は正しいが、for good は不可です。

問107　答え　①

<u>head over heels</u>　逆さまに。

　= upside down

訳）彼は逆さまに落ちた。

head over heels は、昔は heels over haed と言われ、即ち頭の上にかかとがあるので、この方が逆さまという意味でした。これに関して、昔 heels over head の状態で刑罰を下す事があったので、この気持ち悪い表現を忘れるために、逆さまを head and heels とするようになったのではと、故事伝説辞典に述べられています。「逆さま」が逆さまになったということです。
cf. この句は、fall head over heels in love（恋に夢中になる）という成句で、最もよく使用されます（足が地についていないというイメージ）。

問108　答え　③

<u>in person</u>　じかに、自分で、直接。

訳）彼は自ら警察に出頭した。

person の原義は、舞台用語で顔、仮面、登場人物ということから in person は代役ではなく、登場人物そのものの状態でという意味で → 本人自らという意味になります。

問109 little by little

【標】差を表す by と単位を表す by が重複。

> 同意語句は？
> She came to trust me little by little.
> ① in no time ② gradually ③ eventually ④ at once

> ① in no time すぐに。in は時間の経過。
>   in an hour は１時間すれば。
>   in no time は no time で。→ すぐに。(＝ at once)
> ② gradually 徐々に。   gradual 徐々の。
>   ＝grade（段階）+al（関する）
> ③ eventually 結局、ついに。
> ・event（外に現れること）出来事、行事。
> out 現れる
> ・eventually いろいろなことが次から次に起こって、その結果「ついに」というイメージ。
> ④ at once ＝ right away すぐに。同様にという意味もあります。

問110 more often than not

【やや難】直訳）～しないよりはする方が多い。

> 同意語（句）は？
> More often than not, he was late for school.
> ① once in a while ② sometimes ③ very often ④ always

選択肢の訳

> ①たまに。
>   この while は名詞で短い時間。短時間に１回 → たまに。
>   sometimes より頻度が少ない。

問109　答え　②

little by little　徐々に。

= step by step = by and by

= by degrees = gradually

訳) 徐々に彼女は私を信用するようになった。

| 理解の仕方 |

・ここにおける by は、He is older than I by two years. (彼は2歳の差で私より年上である。→ 2歳年上である。) の by と同じ差を表す by、さらに単位を表す by が重なったようなイメージです。

```
                                    little, step, degree
                            by  _____
          by  |  little, step, degree
  _____
  little, step, degree
```

・She came to trust me (by) little (and) by little. と考え、by と and を省略したと考えます。

・また差を表す by をたてにたすと by and by になります。

By and by, they became tired of waiting. だんだん待つのに飽きてきた。

・by degrees　degree (段階、程度) に複数の s がついているということは、例えば He is getting better by degree, by degree and by degree. と考え共通因数 by を前に出して degree をたします。

by (degree + degree … + degree) → by degrees

問110　答え　③

more often than not　たいてい、しばしば。

訳) しばしば彼は学校に遅刻した。

| 理解の仕方 |

He was more often late for school than he was not.

上文の more often than not をまとめて前に出したものです。

彼は遅れないことより、遅れた方が多かった、という意味ですから、51% 以上のしばしば、というニュアンスを持ちます。

He was late for school, more often than not. というように文尾につくこともできます。

問111 **Now that**

【標】（ヒント）now は今、that は because の意味。

直訳）今や～したという理由で。

> 同意語（句）は？
> <u>Now that</u> you are well again, you can travel.
> ① When ② Since ③ If ④ As soon as

問112 **out of the blue**

【やや難】（ヒント）bolt out of the blue sky の省略。bolt 稲妻。

> 同意語（句）は？
> We were hit by a tsunami <u>out of the blue</u>.
> ① unexpectedly ② on a fine day ③ on a rainy day ④ occasionally

選択肢の訳

> ①思いがけなく、突然に。
> ④時折。sometimes より低い頻度。　　occasion 場合、折、出来事。

問113 **quite a few**

【標】まったく少ない、ではありません。

（ヒント）少ないことを強調して、逆の効果を持つようになります。

> 同意語句は？
> <u>Quite a few</u> students drop in at the coffee shop.
> ① a small number of ② a limited number of
> ③ a fairly large number of ④ an extremely small number of

選択肢の訳

> ①少数の。　②限られた数の。　③かなり多くの。　④ごく少数の。
> ・extremely　極度に、極端に。

問111　答え　②

Now（that）〜　　今や〜なのだから、〜した以上は。

　　　　= seeing that 〜

訳）君はまた、体が良くなったのだから旅をしてもよい。

「英米語用法辞典」（開拓社）によれば、「now は半ば、時間の意味を失い that は、as、since、for などの理由を表すが、ある段階に達したという意味を含み、now that を 1 つの接続詞とみてよい。尚、that は省略する場合が多い」と。

問112　答え　①

out of the blue　　予告なしに、突然。

訳）我々は突然津波に襲われた。

これは、bolt from the blue（= out of the blue）青天の霹靂、雲ひとつない青空から稲妻という意味で、起こりそうにないことが起こる、ということです。

問113　答え　③

quite a few　　かなり多くの。

訳）かなり多くの学生がそのコーヒーショップに行きます。

He knows quite a few.
彼はかなり多くのことを知っている。
few は数的に、little は量的に用いられる。
quite a few、quite a little は物事を控え目に述べて、かえって表現の効果を大にする語法（緩叙法）である。「英米語用法辞典」（開拓社）より。

cf. not a few ≒ quite a few（数的に）少なからず。
　　not a little ≒ quite a little（量的に）少なからず。
　　not a few ／ not a little は文章体及び形式ばった談話体にも用いられます。

Ⅴ．なに、これ？　文法的理解に悩む重要熟語

Ⓐ 動詞 ＋ 動詞

元来、目的語の省略ではありませんが、動詞と動詞の間に目的語を補って理解しましょう。

問114　make believe

【難】（ヒント）make a person believe が出発点。

> 同意語は？
>
> Let's <u>make believe</u> that we are pirates.
> ① decide　② pretend　③ convince　④ try

・pirate 海賊

選択肢の訳

> ①決心する。　③確信させる。

問115　make do with

【難】（ヒント）make the situation do with ～ の省略と考えます。
　　　　　　do with A は、A で間に合わせる。

> 同意語句は？
>
> Let's <u>make do with</u> what we have.
> ① show off　② take on　③ manage with　④ catch up with

選択肢の訳

> ①見せびらかす。　②引き受ける、雇う、帯びる（問54 参照）。
> ③どうにかしてやっていく。（cf.manage to do）④追いつく（問64 参照）

EXERCISE

和訳しなさい。

① Let's make do with *onigiri*.

② We have to make do with what is available.

　　答え　①おにぎりで間に合わせよう。
　　　　　②手に入るもので間に合わせねばならない。

問114　答え ②

make believe　ふりをする。

　　　　= pretend

訳）海賊ごっこをしよう。

「英米語用法辞典」（開拓社）には、make believe は元来 make a person believe（人に信じさせる）という意味でしたが、その意味はなくなり、子供の遊びについて用いられ、「～ごっこをしよう」とか、「～するふりをする」という意味に使われていると。

EXERCISE
_____

和訳しなさい。

① She made believe not to hear me.

② She made believe she was a ghost.
_____

　　答え　　①彼女は私の言っていることが聞こえないふりをした。
　　　　　　②彼女は幽霊の真似をした。

問115　答え ③

make do with　どうにかしてやっていく。

　　　= manage with

訳）持っているもので、どうにかしてやっていこう。

> 理解の仕方

make の後に、明らかにわかるという理由で、その状況を表す目的語の省略と考えます。

すなわち make (the situation) do with と答え、do with は「～を用いて間に合わせる」という意味ですから、その状況を～を用いてうまくやっていく、ということになります。

cf.「間に合う」という意味の do は他に次のような文によく用いられます。

> ・Any will do. どれでもよい。（3つ［3人］以上のうちで。）
> ・Either will do. どちらでもよい。（2つ［2人］のうちで。）
> ・That will do. それでよい。

問116　Let go of A

【難】（ヒント）Let（your hold）go of の省略と考えます。 hold 持ち手。

> 同意語は？
> Let go of me.
> ① grab ② release ③ capture ④ follow

選択肢の訳

> ①ぎゅっとつかむ、ひったくる。 ③（武力や力づくで）捕らえる。 ④従う。

Ⓑ なぜ複数に？

問117　Aと握手する。

【標】
> 適語句は？
> 私は彼と握手した。
> I（　　　）with him.
> ① shook our hands ② shook the hands
> ③ shook my hands ④ shook hands

問118　Aと友になる。

【標】
> 適語句は？
> 彼はアメリカ人の女の子と友達になった。
> He（　　　）with an American girl.
> ① got the friends ② came friends
> ③ made the friends ④ made friends

問116　答え　②

Let go of A　A を手放す。

訳）私を離して。

問114 と同様、当然わかるという理由で let の後に目的語が省略され、問いの文は、Let (your hold) go of me. の省略と考えます。

・of は off（分離）の意味です。

cf. Let go of past regret.　過去の後悔を忘れよう。
　　Let の後に your mind を省略と考えれば納得がいきます。

問117　答え　④

shake hands with A　A と握手する。

片手しか出していないので、理屈では I shook a hand with him. となるはずですが、必ず I shook hands with him. となります。

これは 2 人が互いを必要とするイメージが重なって生じる錯覚の s（illusional s）と呼ばれているものです。このように動詞が互いに交換する意味に用いられるときに、目的語をとる複数を Jasperson（アメリカの文法学者）は相互複数と名付けています。

問118　答え　④

make friends with A　A と友達になる。

　　　= get friends with A

これも 2 人の互いのイメージが重なって生じる「s」です。よく試験に出ます。

問119　列車を乗り換える。

【標】
適語句は？

横浜で列車を乗り換え、東京に行った。

I changed (　　　) at Yokohama and went to Tokyo.

① a train　② the train　③ trains　④ the trains

問120　交替で〜する。

【やや難】
適語句は？

トムとジョンは、交替で車を運転した。

Tom and John (　　　) driving the car.

① took turns　② made turns　③ put turns　④ got turns

問121　〜と挨拶する間柄。

【やや難】
適語は？

私は彼女とは挨拶する間柄です。

I am on greeting (　　　) with her.

① terms　② friends　③ companies　④ fellows

◎まとめ

・shake hands with	〜と握手する。
・make friends with	〜と友達になる。
・change trains at	〜で乗り換える。
・take turns 〜 ing	交替で〜する。
・on … terms with 〜	〜と……する間柄。

問119　答え　③

change trains at ～　　～で列車を乗り換える。

乗ってきた列車と乗り換える列車のイメージが重なる「s」です。

問120　答え　①

take turns（at）～ ing　交替で～する。

交替で運転する、は drive a car by turns ともいいます。やはり互いのイメージが重なり合い s がつきます。

・take turns ～ ing は take turns（at or in）～ ing の前置詞を脱落させる事により、元来動名詞であったものが半分「～しながら」を表す分詞となったものです。
即ち「～することにおいて」と「～しながら」の両方の意味をもつ半動名詞となったのです。

問121　答え　①

be on ～ terms with A　Aと～する間柄。

terms（間柄）の s も相互複数の s です。

◎ terms は学期、間柄、条件、用語とか色々な意味があり理解しにくい単語です。

> ・term の原義は時間、関係、条件、言葉などに制限を設けるという意味です。例えば、
> ・second term 2 学期、・greeting terms 挨拶をする間柄、
> ・equal terms 対等の間柄、・medical term 医学用語。

・on は活動とか状態が継続していることを表す on で、on sale（発売中）、on duty（仕事中）と同意の on です。

② 構文編

難解な構文もそのほとんどが直訳可能です。
まず直訳で理解し、例文を何度も繰り返し、
暗誦するのが構文を身につけるコツです。

難易度を５段階に分類	
【超難】…………	超難解
【難】…………	難解
【やや難】………	やや難解
【標】…………	標準
【易】…………	容易

Ⅰ. ややこしい may、might、as をふくむ構文

まず直訳で理解しよう！

問122 may well

【標】
直訳）十分～してもよい。

適語挿入
He <u>may well</u> say so.
= It is （　　　　） that he should say so.

問123 may as well A as B

【難】　直訳）B するのと比較すれば A する方が同じぐらいよいかも。

適訳は？
You <u>may as well</u> stay home as go out.
①家にいるぐらいなら外出した方がマシだ。
②外出するぐらいなら家にいる方がよい。
③家にいるのも外出するのもよい。

問124 might as well A as B

【難】　（ヒント）訳は、may as well A as B と同じ。

和訳しなさい。
You <u>might as well</u> throw your money away
<u>as</u> give it to him.

問122　答え natural

may well　〜するのももっともだ。

　　　= It is natural that S + V

訳）彼がそう言うのももっともだ。

may well と may as well は間違いやすいので、まず直訳で理解しておきましょう。
may well 十分〜してもいいよ、すなわち「〜するのももっともだ」となります。

問123　答え ②

may as well A as B　B するぐらいなら A した方がよい。

ややこしい構文ですが、基本的に He is as tall as Tom. の文と同じです。
as Tom の as は比較を表し、as tall の as は同じという意味です。
問いの文の直訳は、go out するのと比べて stay home する方が同じぐらいよいかもとなり、どちらかと言えば stay home する方がよいという意味合いになります。

問124　答え　彼にお金をやるぐらいなら、捨てた方がマシだ。

might as well A as B　　B するぐらいなら A した方がよい。

訳）君は彼にお金をやるぐらいなら
　　捨てた方がましだ。

> It might rain tomorrow.
> tomorrow なのになぜ過去形の might が？

◎　ここが解れば助動詞とお友達！

なんと 12C 前には助動詞は存在せず、will、shall、can、may は現在形の動詞で、will（〜を欲する＝ want）、shall（〜する義務がある）、can（〜を知っている＝ know）（知っていれば「できる」のです）、may（能力がある＝ be able）という意味でした。その後それらの動詞の過去形 would、should、could、might が助動詞の現在形として使われるようになりました。さらにその後動詞の will、shall、can、may、can は助動詞の現在形として使われるようになりました。したがって would、should、could、might は全て現在形の助動詞で現在形助動詞の先輩です。

Could you help me ? は、過去形ではありません。It may rain. は、雨が降るかも、It might rain. は、ひょっとしたら降るかも（「降ったかも」とよく誤訳するので注意！）

It may have rained.（降ったかも）。従って、問124 で might が使われているのは、お金を捨てるようなことは確率が低いからです。ありうることには may as well を、ありえないことには might as well を用いますが、この区別は厳しくないようです。

問125 may as well A

【難】 may well と混同しないように！

（ヒント）may as well A（as B）比較対象の B がかくれていると考えます。

> 適語挿入
> You <u>may as well</u> stay home.
> = I think you （　　　）（　　　）stay home.

問126 not so much A as B

【難】 直訳）B であることと比べて A であることは同じ（so）程度（much）でない。

rather than 構文に書き換えする際、A と B の位置関係に注意！

> 適語挿入
> He is <u>not so much</u> a teacher as a scholar.
> = He is a scholar （　　　）（　　　）a teacher.

EXERCISE（答えは右ページ）

和訳しなさい。

① In his home, he is not so much a master as a servant.

② She is not so much an actress as a singer.

問127 can't so much as A

【難】 直訳）A するのと比べて（as）それと同じ（so）程度（much）のことをすることができない。

> 同意語は？
> The lost boy <u>can't so much as</u> tell
> 　　　　　　　　　　his own name and address.
> ① same　② still　③ even　④ enough　　　（千葉工大）

EXERCISE（答えは右ページ）

和訳しなさい。

She left the party without so much as saying a word of thanks.

問125　答え　had better

may as well 原形　～した方がよい。

　　　　≒ had better 原形　　（had better に関しては問20を参照）

訳）君は家にいたほうが良い。

問126　答え　rather than

not so much A as B　A というよりもむしろ B。

訳）彼は先生というよりは学者だ。

A というより B なのか、B というより A なのか、よく間違えるので注意！

・間違えないために、まず直訳で理解しておこう。

He is <u>not</u> <u>so</u> <u>much</u> a teacher <u>as</u> a scholar.
　　　　～でない 同じ 程度(量)　　　　　比較

まず teacher を否定しているので scholar である素養を 100 として、それと比較して teacher である素養は同じ程度でない、すなわち 80 ぐらいと考えれば、先生というよりむしろ学者であるという意味になります。

```
ポイント
A というよりもむしろ B
not so much A as B = B rather than A
```

EXERCISE の答え
　　①家では、彼は主人というよりむしろ召し使いである。
　　②彼女は、女優というよりは歌手である。

問127　答え　③

can't so much as A　A すらできない。

　　　= can't even A

訳）その迷子の少年は名前や住所すらわからない。

The lost boy can't so much as tell his own name and address. の直訳は、「その迷子の少年は、名前や住所を言うことと比べて、それと同じ程度のことができない。」となり、即ち、「名前や住所すらわからない。」となります。

EXERCISE の答え
　　彼女は、一言の感謝の言葉すら言うこともなくパーティーを去った。

問128　As is often the case with A

【やや難】接続詞のように見える関係代名詞の as 。

直訳）A に関してよくある case（事実）である。

> 適語挿入
>
> As is often the case with him,
>   he was late for school.
> = He was late for school,
>   (   ) (   ) is often the case with him.

EXERCISE

和訳しなさい。

1. As might have been expected, he did a good job.
2. He was a foreigner, as I knew from his accent.
3. Granpa, as is usual with him, got up so late.

答え　①期待されていたように、彼はうまくやった。
　　　②彼は外国人であった、というのは訛りでわかった。
　　　, as I knew from ～ ＝, because I knew it from
　　　③おじいさんは、いつものことだが寝坊した。
　　　, as is ～ ＝, and it is

問129　such ～ as と such that

【やや難】as か that か挿入問題に注意！

（ポイント）such ～ as（関係代名詞）→ 先行詞を2回使って2文に分解できる。
　　　　　　such ～ that（接続詞）→ 2文に分解できない。

> 適語挿入
>
> as or that
> a. It is such a hard question (＿＿) I can't answer.
> b. It is such a hard question (＿＿) I can't answer it.
> c. It is such a hard question (＿＿) can't be answered.

問128　答え　and it

As is often the case with A　A にはよくあることだが。

訳）よくあることだが、彼は学校に遅れた。

as が関係代名詞であるというと、多くの学生はうかない顔をします。

最も古い関係代名詞は that であり as は wh- 関係代名詞より以前に使われていました。

問いの文は関係代名詞を使わなければ、

He was late for school, and it is often the case with him.

となり、and it は現代用法では、which になりますが、古くから使われている as が現代でも慣用化して用いられています。したがって as は、接続詞 and を含む it の代名詞になっています。なお関係代名詞の as は、接続詞 as のもつ「〜のように」の意味を含むひびきを持つので文頭にもよく使用されます。

問129　答え　a. as　b. that　c. as

such 〜 as（関係代名詞）
such 〜 that（接続詞）

訳）それは大変難しい問題で、私には答えられない。

a. もし as（関代）が入るなら、question は先行詞ということになり、先行詞 question を 2 回使って 2 文に分解できるということになります。

It is such a hard question.
　　　　　　　　　　（先行詞）

I can't answer the question.
　　　　　　 = as（関代）

the question の関係する代名詞が、上文に such があるので、その流れで as になるのです。such 〜 as は慣用化された表現です。従って、答えは as で正解です。

b. 同じように question を使って分解しようとすると it が邪魔しているので 2 文に分解できません。

c. 2 文に分解できます。

It is such a hard question.
　　　　　　　　　　（先行詞）

The question can't be answered.
 = as（関代）

問130　the same ～ as と the same ～ that

【標】　若干の意味の相異に注意！

（ポイント）as も that も関係代名詞です。

the same ～ as（同種）→ 同じような。

the same ～ that（同一）→ 全く同じの。

> 適語選択
> 昨日やって来た人がまた来ています。
> The same man (as, that, who) came yesterday is here again.

問131　as ～ as any と as ～ as ever

【難】　よく混同するので直訳的に理解しておこう！

（ポイント）as ～ as any　いかなる人と比べても同等 or それ以上に。

as ～ as ever　過去に存在した人と比べて同等 or それ以上に。

> 和訳しなさい。
> a. He is as brave a man as any in this country.
> b. He is as brave a man as ever lived in this country.

EXERCISE

和訳しなさい。

1. He is as great an artist as ever.
2. He is as great an artist as any.
3. He has seen as many movies as anybody in his class.
4. This is as difficult a problem as I have ever faced.

答え　1. 彼は前代未聞の偉大な芸術家だ。

2. 彼は誰にも劣らず偉大な芸術家だ。

3. 彼はクラスの誰にも劣らず多くの映画を見ています。

4. これは私が今までに直面したどの問題にも劣らず困難だ。

問130　答え　that

<u>the same ～ as</u>　（同種）。
<u>the same ～ that</u>　（同一）。

cf. He wears the same shirt that（＝as）he had on yesterday.
　　that は昨日着ていたのと同一のセーター、as は昨日着ていたのと同種のセーターとなりますが、実際には区別なく使用されている場合が多いということです。

問131　答え

　　a. 彼はこの国で誰にも劣らず勇敢だ。
　　b. 彼はこの国で古今無双の勇者だ。

a. <u>as ～ as any</u>
問いの文の本質は He is as tall as Tom. の文と同じで、Tom と比べて同じぐらい背が高い、という意味ですから、as ～ as any は誰と比べても同等、あるいはそれ以上にという含みがあり、「誰にも劣らず」という意味になります。

b. <u>as ～ as ever</u>

・as ～ as ever lived　生存したことのある誰にも劣らず～である。
・as ～ as ever breathed　生存したことのある誰にも劣らず～である。
・as ～ as ever shouldered a gun　銃を担いだことのある誰にも劣らず～である。

・ever の原義は、ある特定の時間を指すのではなく、時間そのものを指します。したがって for ever は、時のある間、即ち「永遠に」となります。
・as ever の後には過去形が来るので、今まで存在した人と比べて同等 or それ以上に、という含みを持ち、「前代未聞の」とか「古今無双の」という意味になります。なお、as ～ as ever には他と比較しない同一人物内の比較を表す場合もあります。
He is as brave as ever. これまでと比べて同じぐらい勇敢だ。 → 相変わらず勇敢だ。

II. まぎらわしい重要構文 & 難解な重要構文

問132 <u>as far as</u> と <u>as long as</u>

【やや難】 ややこしいのでゴロ合わせで覚えよう！

・as far as (～まで、～する限り) 距離と範囲
・as long as (～する限り) 条件と時間

> <u>as long as は条件と時間だから</u>
>
> Long　Geoge　　　　と覚えておこう。
> ロング　ジョージ（条時）

> 適語選択
> a) I went as (far, long) as Nara.
> b) As (far, long) as I know,
>   he is not the type of person who believes in religion.
> c) As (far, long) as I live, I will help you.
> d) You may take it as (far, long) as you keep it clean.

・<u>re</u> <u>ligion</u>　人と神を再び結ぶ。　→　宗教。
　again bind

EXERCISE

適語選択

1. He went as (far, long) as to say that I was a liar.
2. You can come with me as (far, long) as you don't make noise.
3. So (far, long) as I am concerned, I have no objection.
4. The land han't been discovered as (far, long) as 5 centuries
   since then.

（答え）　1. far　2. long　3. far　4. long

（訳）　　1. 彼は私が嘘つきと言わんばかりであった。
　　　　　2. 騒がないのなら、私と一緒に来てもよい。
　　　　　3. 私に関しては異議はありません。
　　　　　4. その島は、それ以来5世紀に渡って発見されなかった。

問132　答え　a) far　b) far　c) long　d) long

as（so）far as、as（so）long as の as と so は区別なく用いられますが、次に来る句の意味を強めるとき or 否定文では so が好まれます。

また実際の距離や範囲には、as far as が用いられ、比喩的に制限を表すときは、so far as が好まれます。

a) I went <u>as far as</u> Nara.（実際の距離）
　　私は奈良まで行った。

b) <u>As (so) far as</u> I know,
　　He is not the type of person who believes in religion.（知識の範囲）
　　私の知っている限り、彼は宗教を信じるような人間ではない。

c) <u>As (so) long as</u> I live, I will help you.（時間）
　　私の生きている限り、君を助けるであろう。

d) You may take it <u>as (so) long as</u> you keep it clean.（条件）
　　　　　　　　　　= if or if only
　　きれいにしておき<u>さえすれば</u>、それを持って行ってよろしい。

問133 <u>if any</u>、<u>if ever</u>、<u>if anything</u>

【難】 背景をしっかり把握しよう！

（ポイント）

・<u>if any</u> は even if there is（are）any の省略。

・<u>if ever</u> は even if S + have（has）+ ever + p.p の省略句。

・<u>if anything</u> は if there is any difference が訛ったもの。

適語選択

a）He rarely,（if any, if ever, if anything）,

　　　　　　　　　　　　　writes to his parents.

b）There is little,（if any,if ever,if anything）,

　　　　　　　　　　　　hope of his passing the exams.

c）The patient is,（if any,if ever,if anything）,

　　　　　　　　　　　　worse than yesterday.

・patient 患者

EXERCISE

和訳しなさい。

1. You'll find few, if any, good buys in these parts.

　　　　　　　　（a good buy　掘り出し物）

2. He rarely, if ever, goes to bed before 2 A.M..

3. She looked, if anything, younger than ever.

（答え）　　1. たとえあるにしても、この辺りでは掘り出し物はほとんどない。

　　　　　　2. 彼はこれまであるにしても、めったに午前2時前には床に就かない。

　　　　　　3. 彼女はどちらかと言えば以前より若く見えた。

　　　　　　　（if anything は文頭も可能。）

問133　答え　a) if ever　b) if any　c) if anything

a) if ever は、たとえこれまでにあったとしてもほとんどない（hardly, scarcely）とか、めったにない (rarely,seldom) というような、程度とか頻度表す言葉と結びつきます。
もう１つの特徴として完全な文とするとき、if の後は過去 or 現在完了がきます。
He rarely, if he has ever written, writes to his parents.

訳）彼は書くことはあるとしても、めったに両親に手紙を書かない。

b) if any はあるかないか、たとえあるにしても、という意味で量的 or 数的に少ないという
ことで、little とか few と結びつきます。
There is little, if (there is) any, hope of his passing the exams.

訳）たとえあるにしても彼が試験にパスする望みはほとんどない。

c) if anything は省略ではありません。
英米語用法辞典（開拓社）には、if anything = if there is any difference とあります。if there is any difference が訛ったものと解釈しています。
もし相違があるとするならば、即ちどちらかと言えば、という意味になります。
The patient is, (if anything), worse than yesterday.

訳）その患者はどちらかと言えば昨日より悪い。

◎まとめ

> if any　たとえあるにしても、少ない。
> if ever　たとえこれまでにあるにしても、めったに（ほとんど）ない。
> if anything　相違があるとするならば。→ どちらかと言えば。
> 　　＝ if there is any difference

問134 <u>but 原形 と but to 原形</u>

【やや難】（ポイント）「but 原形」か「but to 原形」になるのかは、but の前に do、
    does、または did の有無によって決まります。

    ・その理由は？　　・but 除いて（= expect）

A　直訳）a）寝ることを除いて彼にとって他に何もない。
　　　　　　b）寝ることを除いて彼は何もしない。

> 適語句選択
>
> a）There is nothing else for him but (sleep, to sleep).
> b）He does nothing but (sleep, to sleep).

B　（直訳）彼女は結婚する以外に選択肢がない。

> 適語句選択
>
> I have no choice but (marry, to marry) her.

C　（ヒント）I can't (do anything) but ~ の省略文です。

> 適語句選択
>
> I can't but (laugh, to laugh) at him.

D
> 正しい語順に
> You have only to do your best.
> = (all / have / you / to / do / is / your / do / best)

問134　A　答え　　a) to sleep　b) sleep

訳）a) b) 彼は寝てばかりいる。

・a) も b) も「～すること」を表す名詞用法の to 不定詞になるのが自然ですが、「but to 原形」になるか、「but 原形」になるかは but の前に do、does、または did があるかないかによって決まります。

◎「to」の有無に関して

> Jespersen（1860-1943　英語学者）は、「助動詞 do、does、did の次に来る動詞は常に原形不定詞になるので、その影響からきている。」と説いています。要するに do、does、did が動詞の場合も、助動詞的ひびきからくる錯覚で（to 原形）でなく原形が来ると説いているのです。

B　答え　　to marry

訳）私は彼女と結婚せざるを得ない。

・but の前に do、does、または did がないので、「to 原形」となります。

C　答え　　laugh

can't but 原形 = can't help ～ ing（～せざるを得ない）

訳）彼を笑わざるを得ない。（= I can't help laughing at him.）

・I can't (do anything) but laugh at him.　　・but は except の意
直訳）笑うことを除いて、何もすることができない。→ 笑わざるを得ない。
do anything の省略とされたものであり、元々 do があったので「but 原形」となると考えます。

D　答え　　All you have to do is do your best.

訳）あなたは最善を尽くしさえすればよい。
　　　＝あなたがしなければならないことは最善を尽くすことだ。

この場合も前に do があるので、ほとんどの場合 to を省略します。

cf. All you have to remember is to do your best.
　　この場合は、to do になります。

問135 <u>A is to B what C is to D</u>

【超難】 A ： B ＝ C ： D として覚えておこう！

A と B の関係は C と D の関係と同じである。

この what は一体何でしょう？

理解の仕方

この構文は、A is to B as C is to D のパターンもあり、

A is related to B as C is related to D の省略文と考えます。

as は「～のように」を表す接続詞ですから、C が D に関係しているように A は B に関係しているとなり、「A と B の関係は C と D の関係と同じである」となります。

正しい語順に

読書と精神の関係は、食べ物と肉体の関係と同じである。

Reading (the, to, is, mind, what, food) is to the body.

EXERCISE

和訳しなさい。

① Rice is to Asians what wheat is to Europeans.

② Leaves are to the plant what lungs are to the animal.

③ Words are to the translator what facts are to the scientist.

答え　　①米とアジア人の関係は、小麦とヨーロッパ人の関係と同じである。

②木の葉と植物の関係は、肺と動物の関係と同じである。

③言葉と翻訳者の関係は、事実と科学者の関係と同じである。

問135　答え Reading (is to the mind what food) is to the body.

この what は何でしょう。

教科書や参考書には、この what は関係代名詞の項目に分類されていますが、もし関係代名詞なら what＝the thing which として先行詞 the thing を2回使って2文に分解できるはずです。例えば、

This is <u>what</u> he said. は
　　　　（＝the thing which）

> This is <u>the thing</u>.
> He said <u>the thing</u>.

　　　　　　　　→ この the thing は関係代名詞が which となるので
　　　　　　　　　This is the thing which he said. となり、
　　　　　　　　　what が関係代名詞であることが証明できます。

同様に A is to B <u>what</u> C is to D. を先行詞（the thing）を2回使って
　　　　　　　　　　　（＝the thing which）
分解しようとしても文意をなさず分解できません。

この文は元々 what の代わりに接続詞「〜のように」を表す as を用いる用法があり、Reading is (reraled) to the mind as food is (related) to the body.「植物が肉体に関係しているように、読書は精神に関係している。」と解釈し、related を略し、接続詞の as が what にとってかわったものである、と考えれば納得いくのですが、ではなぜ as が what と入れ替わったのでしょう。これは wh―関係代名詞が現れる前に接続詞として用いられていた as が関係代名詞としても用いられるようになったという経緯もあるので、as の代わりに what を用いたものが定着したと考えてはどうでしょうか？

問136　what with A and (what with) B

【やや難】　what と with の意味をしっかり理解しよう！

（ヒント）what は副詞（= partly）、with は原因。

直訳）部分的には A が原因で、また部分的には B が原因で。

> 同意語句は？
> What with the smoke and the noise,
> 　　　　　　　　　the party made me feel quite ill.
> ① By means of ② In spite of ③ Instead of ④ Because of（立命館大）

EXERCISE

和訳しなさい。

① What with one thing and another, I never get any work done.
② What with heat and humidity, I couldn't sleep well.

答え　　①あれやこれやで一向に仕事がはかどらなかった。
　　　　②暑いやらムシムシするやらで、よく眠れなかった。

問137　what if S + V

【難】　　2 通りの訳があることに注意！

（ポイント）what if は、① what matters if ~　または、
　　　　　　② what will（would）happen if ~ のどちらかの省略です。

> 和訳しなさい。
> What if I fail, but what if you should fail ?

EXERCISE

和訳しなさい。

① What if we were to try again ?（仮定を表す be to 構文。）
② What if it is true ?

　　答え　　①私たちがもう一度やるとしたらどうなる。
　　　　　　（What would happen if ~ ?）
　　　　　　②本当だって構うものか。（What matters if ~ ?）

問136　答え　④

<u>what with A and (what with) B　A やら B やらで。</u>

訳）煙やら騒音やらで、パーティーで気分が悪くなった。

and の次の what with はよく省略されます。好ましくない原因を並べるときに用いられます。

この what は partly（1 つには）の意味を持つ副詞用法とされ、with は原因、理由を表します。即ち、what with ＝ partly because と解釈し、1 つには～が原因で、また 1 つには～が原因でということになるので、「A やら B やらで」という意味になります。手段を表す場合は、by を用います。

What by policy and (what) (by) force,

　　　　　　　　　　　　he finally accomplished his design.

（策略やら力づくやらで、ついに彼は計画を成し遂げた。）

問137　答え　私が失敗したとしてもかまわないが、もしあなたが失敗したら、
　　　　　　　　どうなる？

・what if には 2 つの意味があることに注意！！

What does it matter if I fail, but what (<u>will</u> happen) if you should fail.
　　　　　　　　　　　　　　　　　　　　　＝ would

私は失敗しても何が問題というのか（問題ではない）、しかしもし君が万が一失敗したらどうする。

　| 要領 |

・覚えにくいので、完全な文で覚えておくようにしましょう。

1. what does it matter if ～　もし～しても何か問題というのか？

　　　　　　　　　　　　　　　　　　　　　→　問題ではない。

2. what would happen if ～　もし～したらどうなる。
　　　　(will)

問138 , and what not

【やや難】（ヒント）what は関係代名詞。

= , and what are not different from them の省略です。

> 同意でないのは？
> Women like sweet patatoes,
>   talking, fried eggs <u>and what not</u>.
> ① and so on   ② and so forth   ③ and not so on   ④ and the like

問139 doubt と suspect

【やや難】文にすれば全く意味が異なることに注意！

（ヒント）・doubt if S + V ～かどうかを疑う。→ <u>半信半疑</u>。

・doubt that S + V that 以下の<u>内容そのもの</u>を疑う。

・suspect that S + V that 以下のことに対して、そうではないかと疑いの目で見る。

A
> 適語句は？
> 私は、彼は有罪ではないと思う。
> I (① doubt if ② doubt that ③ suspect that) he is guilty.

B
> 適語は？
> I don't doubt (if,that) he is guilty.

問140 such being the case

【難】成り立ちをつかんでおこう！

（ヒント）as such was the case = as the case was such の構文です。

(case 事実)

> 適訳は？
> <u>Such being the case</u>,
>   they had to put off their departure.
> ①事実はどうであれ。 ②このような事情で。 ③どんな事情があれ。

問138　答え　③

訳）女性はさつまいも、おしゃべり、たまご焼きなどが好きだ。

, and what not ＝ , and what are not different from them
それらとは異ならないもの。即ち、 and other similar things（ほかの似たようなもの）「〜など」という意味になり、文学的な表現です。 and the like, and so forth などは、 and so on より固い表現とされ、そのようなものが後に続くという意味です。

問139　答え　A ②

A　答 doubt that S + V
　　that 以下の内容そのものを疑う。

・I doubt that he is guilty.
　有罪であるということを疑う。即ち、有罪でないと思う。
・I doubt if he is guilty.
　彼は有罪かどうか疑わしい。（半信半疑の状態を表している。）
・I suspect that he is guilty.
　suspect という単語は、 sus（＝ under）下から上に、疑わしい目つきで見るということから、「有罪であると思う」という訳になります。

答え B that
I don't doubt that he is guilty.
訳）彼が有罪であることを疑わない。→ 彼が有罪であると信じる。（有罪であることは明らかである。）
I don't doubt if 〜 という表現は存在しない。なぜなら半信半疑を否定することは意味を成さないからです。

問140　答え　②

訳）このような事情で、彼らは出発を延期しなければならなかった。

such being the case　このような事情で。

この文は元々、「As the case was such, they 〜」の補語（such）を強調するために、倒置が起こり、「As such was the case, they 〜」を分詞構文にしたものであると考えられます。「事実はそのようであるので、即ち、このような事情で。」という意味になります。
・case 場合、真相、事実、症例、事件。

問141 I would rather S + V

（ポイント）驚くことに would は助動詞ではなく動詞（= wish）です。

I would rather S + V = I wish S + V　と書き換えて考えましょう！

適語選択

I would rather he (go, goes, went) out somewhere.

EXERCISE

1. I'd rather you (　　　) her the truth at that time.

　① didn't tell ② haven't told ③ hadn't told

2. "May I smoke here ? "

　"I'd rather (　　　)."

　① you don't ② you didn't ③ you won't

3. I'd rather I (　　　) her, though I was too busy.

　① saw ② have seen ③ had seen

答え　1. 答え ③

at that time は過去。過去の事柄は、仮定法では過去完了になります。

＝I wish you hadn't told her the truth at that time.

あなたは彼に本当のことを言わなければよかったのに。

2. 答え ②

内容が現在なので、仮定法過去になります。

＝I wish you didn't.

遠慮していただけませんか。

3. 答え ③

内容が過去なので、仮定法過去完了になります。

＝I wish I had seen her, though I was too busy.

忙しすぎたけど、彼女に会っておけばよかったなぁと思った。

問141 答え went

I would rather S + V = I wish S + V
と考え、仮定法です。

訳）彼がどこかに出かければなぁ。

I would rather ＝ I wish と考え、仮定法です。

I would rather he went out somewhere.
　＝ I wish he went out somewhere.

I would rather S + V とは、なんとも理解しにくい文の構造ですね！

would は助動詞なのか？ もし助動詞とすれば、原形動詞 wish の省略なのでしょうか？

これに関して、英語語法大事典（大修館）には、「I would rather you went tomorrow. の文において、you went tomorrow は名詞節と考えられるから、would は本動詞としなければならない。本動詞として、'欲求する' という意味の用法は、かなり制限されており、しかも現在では、普通ではないので、would rather を一まとめにして他動詞句とした方が良いと思います……」と。

ポイント

・I would rather S + 過去形
　＝ I wish S + 過去形
・I would rather S + had + p.p.
　＝ I wish S + had + p.p.

cf. Random House（小学館）には、would ～であればよいのだが、would を動詞とし、

I would it were true. 　真実であればよいのだが。

Would he were here. 　彼がここにいればよいのだが。

Would that it had been otherwise　それがあのようにならなかったら良かったのに。

とあります。要するに、I would rather ＝ I wish として覚えておきましょう。仮定法過去及び過去完了に用いられます。

（過去形助動詞に関しては問124を参照）

問142 <u>had better</u> と <u>may as well ~</u> の否定文。

【やや難】（ポイント）文法よりリズムが優先されます。

> 適語句選択
> 君は家に帰らない方が良い。
> Maybe, you had (not better,better not) go home.
> = You may (not as well,as well not) go home.

・may as well は問123、問125 を参照。

（豆知識）

had better は、内容は現在なのになぜ過去形の had が？

・had better 原形が「～した方が良いのに」と、現在の内容を持つのは、仮定法過去としての働きをしているからです。即ち、現在の事実と反対の意味を表しているのです。よって「～した方がよいのに、なぜそうしないのか」と咎めているのです。

・had better の成り立ち。
had better 原形は、10世紀には「were better 原形」の形で使われていました。15世紀になって were の代わりに had が用いられるようになりました。You were better go home. の文において、were go のように動詞＋原形不定詞はこの時代によく使われていました。

問142 答え　better not 、as well not

なぜリズム優先？

had not better、may not as well の not の位置は文法的には正しいのですが、会話において You had は常に You'd と短縮形で発音されるので、You'd not とすれば非常に発音しづらいからです。ちなみに否定の疑問文は、Had you not better go home ?（＝ Hadn't you better go home ?）となります。その形で had を疑問文でない形に戻せば、You had not better ～となり、文法的には had not となるのが正しいのです。

また may as well の場合も、may の y を発音しないか、非常に軽い発音になるので not を入れると発音しづらくなるからです。

（注意）

had better は話し相手を咎め、命令的なニュアンスを伴うので、Maybe, you'd better ～とか、I think you'd better ～とすれば、命令文に please をつけるのと同じ感覚になるでしょう。

may as well には命令的イメージはなく、～するよりはしない方がよい、というようなニュアンスです。

格言

One may as well not know a thing at all
as know it imperfectly.
訳）生半可に知っているのなら、全く知らない方がマシだ。

問143 <u>see to it that S + V</u>

【難】 並び替え問題頻出！

（ポイント）see の原義は「眼で追う」。see to は、〜に対して眼で追っていく。
即ち → 〜に気を付ける、〜に配慮する、〜を取り計らう。

> 同意語は？
>
> I'll <u>see to it that</u> nothing goes wrong at the meeting.
> ① suggest ② advise ③ consider ④ ask

EXERCISE

和訳しなさい。

1. I'll see to it that this will never happen again.
2. I saw to it that both brothers were well provided for.

答え　1. こんなことが二度と起こらないように気を付けます。

　　　2. ２人の兄弟が不自由しないように取り計らった。

問143　答え　③　consider（〜に配慮する。）

訳）会議では、何も起こらないよう気を付けます。

see to it that S + V
〜するように気を付ける、配慮する、取り計らう。

that 以下のことに気を付けるは、see to that 〜 とすればよいのですが、現在英語では接続詞の前に前置詞が来るのは in that S + V（〜という点で）を除いてはありません。

従って、to that 〜 には違和感が生じるので、to の後に形式目的語としての it を置いて、that 以下が意味上の目的語になっている作為的な形になっています。see to it that 〜 の形は文語で用いられ、口語では to it を省略し、see that が用いられます。

cf. in that S + V

Men differ from brutes in that they can think and speak.

（人間は考え話せるという点で、けだものとは違う。）

・in that S + V は in the fact that S + V（〜という事実において）。
　この that は the fact と S + V を結ぶ同格の接続詞の that です。

Ⅲ．算数でわかる
no ＋ 比較級 ＆ not ＋ 比較級 の構文
no と not の違いは？

問144　（ポイント）・no は次にくる形容詞を強く否定（語句否定）。
【易】　　　　　　・not は文の否定（文否定）。

> 和訳しなさい。
> a. He is no tall.
> b. He is not tall.

問145　no taller than　と　no shorter than

【標】　（ポイント）結論から言って　no ＋ 比較級は、プラスイメージ　or　マイナスイメージを作る表現手段です。（数直線を用いて理解できます。）
問題文において、背の高さに関して、＋イメージなら「170cm も」、
－イメージなら「170cm しか」となります。
taller は＋方向に、shorter は－方向にのび、no と綱引きをします。
その際、常に no の方が若干強いのです。

> 同意語（句）は？
> a. He is <u>no taller than</u> 170cm.
> b. He is <u>no shorter than</u> 170cm.
> ① only　② as tall as　③ not taller than　④ not shorter than

問144　答え　　a. 彼は背が高いものか（非常に低い）。

　　　　　　　　b. 彼は背が高くはない（普通か、それ以下）。

・no は語句否定で tall を強く打ち消し、高いものか、非常に低い（=very short）
　の意味になります。

・not は文否定ですから、He is tall. の逆で、高くはないとなります。

問145　答え　　a. ①　　b. ②

　　　　訳）a. 彼は 170cm しかない。　b. 彼は 170cm もある。

a）no は taller（陽の形容詞）を強く否定し、陰性化し、－イメージを作
　ります。
　　→ 170cm しかない。

b）no は shorter（陰の形容詞）を強く否定し、陽性化し、＋イメージを
　作ります。
　　→ 170cm もある。

◎さらに詳しい説明

　原級 tall が、比較級 taller になったことにより、強さが増し、強い否定の no と
強くなった比較級がぶつかり、綱引きをし、＋－ほぼ 0 ということになります。
アルカリが酸と中和するようなものです。no shorter も＋－ほぼ 0 です。よっ
て、問いの文 a b は、どちらも身長が 170cm であることに変わりはないのです
が、しかしながら no と比較級の力関係は常に no の方が若干強く、比較級の強
さを 10 とすれば no は 10.1 ぐらいと考え、イメージの差を作ります。
これを数直線にしてみます。

a. no taller than の計算　　　　b. no shorter than の計算

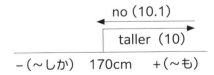

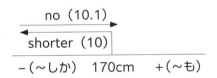

taller（10）は＋方向に働き、no（10.1）
はそれを打ち消し、－方向にはみ出し、
－イメージを作ります。170cm しかな
いとなります。

shorter（10）は－方向に働き、no（10）
はそれを打ち消し、＋方向にはみ出し、
＋イメージを作ります。170cm もある
となります。

問146 <u>no less than</u> と <u>no more than</u>

【標】　数直線で理解できる！

（ポイント）a. no は less（陰の形容詞）を強く否定。

b. no は more（陽の形容詞）を強く否定。

常に no の方が若干強く、イメージの差を作ります。

a も b も 100 ドル持っているのですが、＋イメージなら「100 ドルも」、－イメージなら「100 ドルしか」となります。

同意語（句）は？

a. I have <u>no less than</u> $100.

b. I have <u>no more than</u> $100.

① as much as　② more than　③ only　④ less than

EXERCISE

和訳しなさい。

1. I worked no more than 6 hours.
2. I have been reading a book for no less than 10 hours.
3. He cut lessons no more than 3 times.
4. No less than one million people died of infectious desease.

答え　　1. 6 時間しか働かなかった。

2. 10 時間も本を読んでいる。

3. 3 回しか授業をさぼらなかった。

4. 100 万人もの人々が伝染病で死んだ。

問146　答え　a. ①　　b. ③

訳）a.100 ドルも持っています。　b.100 ドルしか持っていません。

a. no less than（〜も）= as much as
b. no more than（〜しか）= only

・前問同様、＋ or −イメージを作る表現です。

no は数直線で

a. no less than の計算	b. no more than の計算
陰の形容詞 less（10）は−方向に働き、no（10.1）はそれを打ち消し、＋方向にはみ出し＋イメージを作り 100 ドルも持っているとなります。	陽の形容詞 more（10）は＋方向に働き、no（10.1）はそれを打ち消し、−方向にはみ出し−イメージを作り 100 ドルしか持っていないとなります。

a.
no（10.1）
less（10）
−（〜しか）　　$100　　+（〜も）

b.
no（10.1）
more（10）
−（〜しか）　　$100　　+（〜も）

◎まとめ

・no less than（＋）イメージ　　「〜も」（= as much as）
・no more than（−）イメージ　　「〜しか」（= only）

◎着眼点

not は単なる文の否定。no は次にくる単語を反対方向に若干はみ出して否定します。

問147 <u>not less than</u> と <u>not more than</u>

【標】　不等号で理解できる！

（ポイント）not は文否定（即ち not をとって、その逆を考えます）。

> 同意語（句）は？
>
> a. I have <u>not less than</u> $100.
> b. I have <u>not more than</u> $100.
>
> ① at least　② only　③ as much as　④ at most

EXERCISE

和訳しなさい。

1. He lost not less than 10 million yen in gamble.
2. I could answer not more than 3 questions.
3. Not less than 100 people joined the concert.
4. She made not more than 3 mistakes.

答え　1. 彼は 1000 万円以上（少なくとも 1000 万円）ギャンブルで負け
た（X ≧ 1000）。

2. 私は 3 つ以下（せいぜい 3 つしか）答えることができなかった
（X ≦ 3）。

3. 100 人以上（少なくとも 100 人）の人々がコンサートに参加した。

4. 彼女は間違いをしたのはせいぜい 3 つだ。

問147　答え　a. ①　　b. ④

訳）a. 100 ドル以上（少なくとも 100 ドル）持っている。

　　　b. 100 ドル以下（せいぜい 100 ドル）持っている。

・not less than　　　「少なくとも」（= at least）

・not more than　　　「せいぜい」（= at most）

考え方

・not をとって、その逆を考えます。即ち不等号を用いて表すことができます。

a. <u>not less than</u> の計算	b. <u>not more than</u> の計算
not をとってその逆とは、 I have less than $100. （100 ドル以下を持っている） の逆は、私が持っている金額を X とすると X ≧ $100 となり、100 ドル以上持っている。すなわち少 なくとも（= at least）100 ドル 持っているとなります。	同様に、 I have more than $100. （100 ドル以上持っている） の逆は、X ≦ $100 となり、100 ドル以下持っている。即ち、持っ ているのはせいぜい（= at most） 100 ドルだということになりま す。

◎まとめ

・no more than	（-）イメージ（= only）	～しか
・no less than	（+）イメージ（= as much as）	～も
・not more than	X ≦ ○（= at most）	せいぜい
・not less than	X ≧ ○（= at least）	少なくとも

（注意）

・not ～ any more than 等 not ～ any はイコール no となるので、
数直線で判断してください。

　　例）He couldn't sleep <u>any more than</u> 3 hours.

　　　　= He could sleep <u>no more than</u> 3 hours.

　　　　（3 時間しか眠れなかった。）

問148 <u>A no less C than B</u> と
【やや難】 <u>A no more C than B</u> の構文。

有名な鯨構文で理解しましょう！

（ポイント）a. no less a mammalは、哺乳類であるのか、ないのか、どっちだ！
b. no more a fish は、魚であるのか、ないのか、どっちだ！
ということを、問うているのです。 than 以下の内容は単に比較対象として述べているだけです。

> 和訳しなさい。
>
> a. A whale is <u>no less</u> a mammal <u>than</u>
> a horse is (a mammal).
> b. A whale is <u>no more</u> a fish <u>than</u>
> a horse is (a fish).

・前問同様、

a. no（10.1）は、語句否定で less（10）を打ち消します。

b. no（10.1）は、語句否定で more（10）を打ち消します。

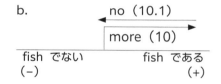

a.
no（10.1）
less（10）
mammal でない mammal である
（－） （＋）

b.
no（10.1）
more（10）
fish でない fish である
（－） （＋）

公式化して

| whale = horse → （＋） mammal |
| 同様   ～である |

| whale = horse → （-） fish |
| 同様   ～でない |

148

問148　答え

a. | whale ＝ horse → （＋）mammal |　　　鯨は馬同様哺乳類である。

b. | whale ＝ horse → （－）fish |　　　　鯨は馬同様魚でない。

公式化して覚えましょう！

a.　A <u>no less</u> C <u>than</u> B

| A ＝ B → （＋）C |
| 同様　　　　　　〜である |

　　　　　　　　　　　　　　　A は B 同様 C である。

b.　A <u>no more</u> C <u>than</u> B

| A ＝ B → （－）C |
| 同様　　　　　　〜でない |

　　　　　　　　　　　　　　　A は B 同様 C でない。

・訳し方は 3 通りあります。

a. 1.鯨は馬同様哺乳類である。2.馬が哺乳類であるのと同様に鯨は哺乳類である。
　　3.鯨が哺乳類であるのは馬が哺乳類であるのと同様だ。
　　（要するに鯨は哺乳類であると主張しているのです。）

b. 1.鯨は馬同様魚でない。　2.馬が魚でないように鯨も魚でない。
　　3.鯨が魚でないのは馬が魚でないのと同様だ。

（注意）

<u>問b の than 以下の内容に注意！</u>

・<u>a horse is a fish</u> と、とんでもないことを言っています。
no more 〜 than の文に限って、問いの文のように、「馬が魚である」というように、than 以下の文には普通非常識的でとんでもない文が来ます。

・英米語用法辞典によると、no more 〜 than は、真の否定表現（real negative expression）である。即ち no は more を否定し、no more は文を否定することになり、S ＋ V ＋ than ＋ S ＋ V において、両方の文を否定すること、と説明しています。
したがって、この文を理解するには、than 以下の文に頭の中で必ず not を補って、考えなければなりません。

EXERCISE（答えは右ページ）

例にならって和訳しなさい。

・Soccer is no less exciting than baseball.

〔soccer = baseball → (+) exciting〕 <u>サッカーは野球同様おもしろい。</u>

・He can no more swim than a stone can.

〔He = stone → (−) swim〕 <u>彼は石同様泳げない。</u>

1. Mary is no more attractive than Betty.

〔　　　　　　　　　〕 _____

2. Mary is no less interectual than Betty.

〔　　　　　　　　　〕 _____

3. A horse is no less useful than a cow.

〔　　　　　　　　　〕 _____

4. A bat is no more a bird than a rat is.

〔　　　　　　　　　〕 _____

5. That old man is no more talkative than John.

〔　　　　　　　　　〕 _____

6. Tom is no less stingy than Ken.

〔　　　　　　　　　〕 _____

---

2. interectual　知的

4. bat　コウモリ

5. talkative　おしゃべり

6. stingy　ケチ

EXERCISE

答え　1. Mary ＝ Betty → （-）attractive

メアリーはベティ同様魅力的でない。

2. Mary ＝ Betty → （+）intectual

メアリーはベティ同様知的である。

3. horse ＝ cow → （+）useful

馬は牛同様役に立つ。

4. bat ＝ rat → （-）bird

コウモリはネズミ同様鳥でない。

5. that old man ＝ John → （-）talkative

あの老人はジョン同様おしゃべりでない。

6. Tom ＝ Ken → （+）stingy

トムはケン同様ケチである。

◎まとめ

a. <u>A no less C than B</u>	A ＝ B → （+）C
	A は B 同様 C である。
b. <u>A no more C than B</u>	A ＝ B → （-）C
	A は B 同様 C でない。

問149　<u>A not less C than B</u> の構文。

【やや難】不等号で考えよう！

（ポイント）not は文の否定。 not をとってその逆を考えます。

> 和訳しなさい。
> She is <u>not less</u> beautiful <u>than</u> Mary.

EXERCISE

和訳しなさい。

1. Tom is not less rich than John.
2. Mary is not less nervous than her mother.

答え　1.　| Tom ≧ John → (+) rich |

トムはジョンより以上に金持ちである。

2.　| Mary ≧ mother → (+) nervous |

メアリーは母以上に神経質だ。

問150　<u>A not more C than B</u> の構文。

【やや難】不等号で考えよう！

（ポイント）not をとってその逆を考えます。

> 和訳しなさい。
> She is <u>not more</u> beautiful <u>than</u> Mary.

EXERCISE

和訳しなさい。

1. Sam is not more generous than Ken.
2. He is not more careless than Tom.

答え　1.　| Sam ≦ Ken → (-)generous |

サムはケンほど寛大ではない。

2.　| He ≦ Tom → (-)careless |

彼はトムほど不注意ではない。

問149　答え　彼女はメアリーより以上に美しい。

・not をとれば、She is less beautiful than Mary.（彼女はメアリーより美しくない）。美しさの大小は、She ≦ Mary となり、not を入れると不等号は逆になる、よって、She ≧ Mary となり、彼女はメアリー以上に美しい（勝るとも劣らず美しい）ということになります。

She's not less beautiful than Mary. の文を不等号で表すと、

> She ≧ Mary → (+)beautiful
> 　～より以上に　　～である

として表すことできます。

公式化して覚えましょう。

・A not less C than B

> A ≧ B → (+)C
> ～より以上に　～である

　　　　　　A は B より以上に C である。

問150　答え　彼女はメアリーほど美しくない。

・not をとれば、She is more beautiful than Mary. となり、美しさの大小は She ≧ Mary となり、not を入れると不等号は逆になり、She ≦ Mary となり、彼女はメアリーほど美しくないとなります。

She is not more beautiful than Mary. を不等号で表すと、

> She ≦ Mary → (-)beautiful
> 　～ほど　　　　～でない

として表すことできます。

公式化して覚えましょう。

・A not more C than B

> A ≦ B → (−)C
> ほど　　　～でない

　　　　　　A は B ほど C でない。

cf. She is <u>not any more</u> beautiful than Mary.
　　not ～ any more than は not + any = no になるので、
　　= She is no more beautiful than Mary. と同じです。
　　不等号でなく数直線で考えます。

◎まとめ

A not less C than B	A ≧ B → (+)C	A は B より以上に C である。
A not more C than B	A ≦ B → (−)C	A は B ほど C でない。

EXERCISE（答えは右ページ）

例にならって和訳しなさい。

・He is not less thrifty than his brother.
〔He ≧ his brother → (+)thrifty〕　<u>彼は兄より以上に倹約である。</u>
・He is not more industrious than she.
〔He ≦ she → (−)industrious〕　<u>彼は彼女ほど勤勉でない。</u>

1. Making good friends is not less important than making money.
〔　　　　　　　　　　　　〕＿＿＿＿＿＿＿＿＿＿＿＿

2. Tom is not more patient than Sam.
〔　　　　　　　　　　　　〕＿＿＿＿＿＿＿＿＿＿＿＿

3. This problem is not less difficult than that one.
〔　　　　　　　　　　　　〕＿＿＿＿＿＿＿＿＿＿＿＿

4. He is not less cowardly than his brother.
〔　　　　　　　　　　　　〕＿＿＿＿＿＿＿＿＿＿＿＿

5. She is not more modest than her sister.
〔　　　　　　　　　　　　〕＿＿＿＿＿＿＿＿＿＿＿＿

6. He is not less brave than his father.
〔　　　　　　　　　　　　〕＿＿＿＿＿＿＿＿＿＿＿＿

2. patient　我慢強い
4. cowardly　臆病な
5. modest　控え目な
6. brave　勇敢な

EXERCISE の答え

1. Making good friends ≧ making money → (+)important
   よい友を作ることは金儲けより重要である。

2. Tom ≦ Sam → (−)patient
   トムはサムほど我慢強くない。

3. This problem ≧ that one → (+)difficult
   この問題はあの問題より以上に難しい。

4. He ≧ his brother → (+)cowardly
   彼は兄より以上に臆病である。

（注意）

◎ 副詞のように見えて副詞でない cowardly。

- ・cowardly は形容詞です（古くは副詞）。
- ・coward（名）は臆病者。　cowardice（名）臆病、小心。
- ・coward の原義はラテン語 coue（しっぽ）より、動物がしっぽを股に入れて逃げるさまを現わしています
- ・cowardly は危険に際して怖気づいている状態。
- ・危険もないのに怖気づいている状態は timid。
  timid の原義は「暗闇にいる」。

5. She ≦ her sister → (−)modest
   彼女は姉ほど控え目ではない。

6. He ≧ his father → (+)brave
   彼は父より以上に勇敢である。

総まとめ

◎ まとめ Ｉ

・no less than	(+) イメージ (as ~ as)	～も
・no more than	(-) イメージ (= only)	～しか
・not less than A	X ≧ A (A より以上に)	少なくとも (= at least)
・not more than A	X ≦ A (A より以下)	せいぜい (= at most)

EXERCISE Ｉ（答えは右ページ）

和訳しなさい。

1. He earned no less than ¥10,000.
2. He earned no more than ¥10,000.
3. He earned not less than ¥10,000.
4. He earned not more than ¥10,000.

◎ まとめ ＩＩ

・A no less C than B	A = B → (+) C	A は B 同様 C である。
・A no more C than B	A = B → (-) C	A は B 同様 C でない。
・A not less C than B	A ≧ B → (+) C	A は B より以上に C である。
・A not more C than B	A ≦ B → (-) C	A は B ほど C でない。

EXERCISE ＩＩ（答えは右ページ）

和訳しなさい。

1. The night was no less bright than tonight.
2. The night was no more bright than tonight.
3. The night was not less bright than tonight.
4. The night was not more bright than tonight.

EXERCISE Ⅰの答え

    1.（＋）イメージ　彼は 10000 円も儲けた。

    2.（－）イメージ　彼は 10000 円しか儲けなかった。

    3.（Ｘ ≧ 10000）彼は 10000 円以上（少なくとも 10000 円）儲けた。

    4.（Ｘ ≦ 10000）彼は 10000 円以下（せいぜい 10000 円）儲けた。

EXERCISE Ⅱの答え

    1. The night = tonight → （＋）bright
      あの夜は今夜同様明るかった。

    2. The night = tonight → （－）bright
      あの夜は今夜同様明るくなかった。

    3. The night ≧ tonight → （＋）bright
      あの夜は今夜以上に明るかった。

    4. The night ≦ tonight → （－）bright
      あの夜は今夜ほど明るくなかった。

注意

1. not any ～ more than ＝ no more ～ than となるので、不等号でなく数直線で考える。

2. no more と not more 及び no less と not less は、実践英語において、かなり混同して用いられています。

Ⅳ. none の構文

> **none の基礎知識**
>
> none は no one から生まれました。
>
> none は単複いずれの扱いも受けますが、複数扱いにする方が多いのです。
>
> None are completely satisfied.
>
> （誰も十分には満足していない。）
>
> None knows the weight of another's burden.
>
> （他人の荷物の重さは誰にもわからない。）（ことわざでは、単数扱い。）
>
> There is none of the suger left.
>
> ＝ There is not any suger left.（砂糖は少しも残っていない。）

Ⓐ none の頻出構文

（ポイント）解りにくい none は、none ＝ not ~ any または not ~ at all
（全く~ない）のどちらかに分解して考えると意味が理解できます。

問151 second to none

【やや難】 none ＝ not ~ any one

（ヒント）not second to any one（誰に対しても2番目ではない、とは？）

> **同意語は？**
>
> Fred is good at all sports.
>
> At tennis he is <u>second to none</u>.
>
> ① unsuccessful ② insignificant ③ behind ④ unbeatable 　（日本大）

選択肢の訳

> ①不成功の、失敗した。
>
> ②重要でない。　・significant 重要な。　important より堅い話。
>
> ④負かすことのできない。　・beat 打ち負かす。

問152 none of your business

【標】 　（business は商売ではありません！）

＝ It is not any of your business.

（business 係わり合いのあること。）

> **適語挿入**
>
> None of your business.
>
> 　　　＝（　　　）your own business.

問151　答え　④

second to none　誰にも劣らない。

＝ He is not second to anyone.

彼は誰に対しても２番目にならない。 → 常に１番、即ち、誰にも劣らない。

訳）フレッドはあらゆるスポーツが得意である。テニスでは彼は誰に
　　も劣らない。

問152　答え　mind

none of your business　お前の知ったことか。

訳）お前の知ったことでない。

・ここにおける business は商売ではなく、係わり合いのあるという意味です。
　none を not と any で表せば、It is not any of your business. となり
　「お前と係わり合いのあることではない。」という意味になります。
・Mind your own business.　自分のことだけ気をつけなさい。
　cf.busy には２つの名詞があることに注意。
・business [bíznis] 商売、職業、本分、係わり合いのあること。
・busyness [bízìnis] 忙しいこと、多忙。〈発音も異なることに注意。〉

問153 none too soon

【やや難】 none = not 〜 at all

> 下線部の適訳は？
> You came here <u>none too soon</u>.
> ①ちょうどいい時に。 ②遅れて。 ③早く。

EXERCISE

下線部の適訳は？

The trip was none too pleasant.

①非常に楽しかった。②少しも楽しくなかった。③楽しかったというのでもない。

Ⓑ 超難解　none the 比較級構文

問154 **none the better for A** （none = not 〜 at all）

【超難】 <u>= not the better at all for A</u>

直訳）A という理由でその分だけ、より better になったというのでは全くない。

> 適訳は？
> 下線部の適訳は？
> I am <u>none the better</u> for the medicine.
> ①さらに悪くなった。 ②ちっとも良くなってない。 ③最悪の状態になった。

◎ 少し慣れてみよう。

EXERCISE（答えは右ページ）

和訳しなさい。

① I am none the worse for a single failture.

② I am none the happier for my wealth.

③ He is none the wiser for his hard working.

問153　答え　①

none too soon　　ちょうどいい時に。

問題文＝ You didn't come here too soon at all.

（直訳）あなたはここに早く来すぎたというのでは全くない。

→ ちょうどよい時に来た。

EXERCISE の答え　②

= The trip was not too pleasant at all.

（直訳）旅は楽しすぎたというのでは全くない。→ 少しも楽しくなかった。

問154　答え　②

none the better for 〜　　〜なのにちっともよくない。

I am none the better for the medicine.

= I am not the better at all for the medicine.

（直訳）その薬を飲んだという理由で、the は限定を表し、その飲んだ分だけ一層よくなったというのでは全くない。→ その薬を飲んだからと言って、ちっとも良くなっていない。

EXERCISE の答え

①= I am not the worse at all for a single failure.

②= I am not the happier at all for my wealth.

③= He is not the wiser at all for his hard working.

① （直訳）一度ぐらいの失敗のためにその分だけ一層悪くなるというのでは全くない。→ 一度ぐらい失敗しても平気だ。

② （直訳）金があるからと言って、その分だけ一層幸せであるのでは全くない。→ 金があってもちっとも幸せではない。

③ （直訳）一生懸命勉強したのに、その分だけ一層賢くなったというのでは全くない。→ 一生懸命勉強したのに、ちっとも賢くなっていない。

ⓒ よく混同する
none the less for と all the more for

問155 <u>none the less for A</u> （none = not ～ at all）

【超難】 直訳）A という理由でその分だけより少なく～するというのでは全くない。

適訳は？
I love her none the less for her faults.
①欠点があるから尚更彼女を愛する。
②欠点があるにもかかわらず彼女を愛する。
③欠点があるので全く愛さない。

問156 <u>all the more for A</u>

【難】 直訳）A という理由でその分だけより一層～する。

適訳は？
I love her all the more for her faults.
①欠点があるので彼女を全く愛せない。
②欠点があるから尚更彼女を愛する。
③欠点があっても彼女を愛さないことはない。

問155　答え ②

<u>none the less for A　A にもかかわらず。</u>

I love her none the less for her faults.

＝ I do not love her the less at all for her faults.

（直訳）欠点があるという理由でその分（the）だけより少なく彼女を愛するというのでは全くない。

→　欠点には目をつむって愛するということで、即ち「欠点があるにもかかわらず愛する」ということになります。

cf. never the less（〜にもかかわらず）は、none the less for に取って代わったものです。

したがって、

<u>none the less for = never the less = in spite of = despite</u>

として覚えておきましょう。　・spite　悪意、意地悪。

問156　答え ②

<u>all the more for A　A ゆえ尚更一層。</u>

I love her all the more for her faults.

（直訳）彼女には欠点があるという理由で、その分（the）だけより一層彼女を愛する。

→　彼女には欠点があるから尚更一層彼女を愛する。即ちマイナスがプラスになって見えるということ（あばたもえくぼ）。

V. 倒置構文

公式として覚えておきましょう。

> 副詞（so、too、as、how）＋ 形容詞 ＋ a（an）＋ 名詞

◎副詞の磁石現象が生じています。副詞（so、too、as、how）は近くにある形
　容詞と磁石のようにぴったりとくっつきます。

> 理解の仕方

例えば、so hard a question の語順について、a hard question は
a ＋ 形容詞 ＋ 名詞 という安定した形ですが、その前に so という磁石を置け
ばどうなるでしょう。

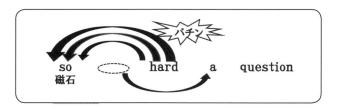

たちまち、so（副詞）は hard（形容詞）とひっつき、a が飛ばされ、
so hard a question という語順が形成されます。

問157 （so、too、as、how）＋ 形容詞 ＋ a（an）＋ 名詞　の構文。

【標】

適語挿入

a) She is such a kind girl that everyone loves her.
　= She is so （　　）（　　）girl that everyone loves her.

b) It was such a difficult question that I couldn't solve it.
　= It was too （　　）（　　）（　　）for me to solve.

c) The girl was as generous as Mary.
　= She was as （　　）（　　）（　　）（　　）Mary.

d) I'll try to answer how hard the question is.
　= I'll try to answer how （　　）（　　）（　　）it is.

問157　a）答え <u>kind a</u>

（注）so は副詞ですが、such は強意の形容詞であり、a kind girl という名詞を修飾し、such a kind girl となります。

ただし複数形に関しては、so kind girls という表現はせず、such kind girls となります。

b）答え <u>difficult a question</u>

c）答え <u>generous a girl as</u>

d）答え <u>hard a question</u>

訳）a）彼女は大変かわいらしい女の子なので、みんなは彼女が好きである。

b）それは大変難しい問題であったので、私はそれを解くことができなかった。

c）その女の子はメアリーと同様寛大であった。

d）その問題がいかに難しかろうと答えて見せましょう。

◎ 副詞が苦手な人のために（副詞の基礎）。

副詞に絡む整序問題は頻出です。克服のコツは副詞の持つ特質をよく理解することです。形容詞とか副詞とかという言葉を聞くだけでアレルギー反応を示す人のために、中学範囲の基礎的なことから始めます。

形容詞は物の状態を表す品詞であり、2種類の用法があります。

即ち、1.He is tall. 2.He is a tall man. というように、1.形容詞のみを用いるか、2.形容詞＋名詞の形で用いるかということは知っていますね。

次は、副詞は動詞、形容詞、副詞を修飾します。

He <u>gets up</u> <u>early</u>.　early は動詞 gets up を修飾。

He is <u>very</u> <u>very</u> <u>tall</u>.　very tall の very は tall（形容詞）を修飾するので、副詞。

very very の最初の very は、次の very（副詞）を修飾するから副詞です。

このように副詞は動詞、形容詞、副詞を修飾することを覚えておこう。

副詞はとにかく、動詞、形容詞、副詞をひきつけます。私はこれを「副詞の磁石現象」と呼んでいます。

問158 <u>Never + 動詞（or 助動詞）〜 の構文。</u>

【やや難】（ここでも副詞 never の磁石現象が生じます。）

　　　・be 動詞、have + p.p.、had + p.p. 及び助動詞を含む構文の倒置。

A
> Never を文頭にして強調構文に書き換えよ。
> a) He was never loved by her.
> 　= Never _____ .
> b) He has never loved her.
> 　= Never _____ .
> c) He had never loved her till then.
> 　= Never _____ .
> d) He will never love her.
> 　= Never _____ .

　　　・一般動詞の現在形、及び過去形を含む倒置構文。

B
> Never を文頭にして強調構文に書き換えよ。
> a) He never loves her.
> 　= Never _____ .
> b) He never loved her.
> 　= Never _____ .
> c) We never have quarrels.
> 　= Never _____ .
> d) He never had any schooling.
> 　= Never _____ .

問158

A　be 動詞、have + p.p.、had + p.p. の have、had または助動詞は軽いので、副詞 never とひっついて前に出てきます。

　　答え　　a）Never was he loved by her.
　　　　　　b）Never has he loved her.
　　　　　　c）Never had he loved her till then.
　　　　　　d）Never will he love her.

B　一般動詞は重たいので、その子分の助動詞 do、does、did がひっついて前に出てきます。

　　答え　　a）Never does he love her.
　　　　　　b）Never did he love her.
　　　　　　c）Never do we have quarrels.
　　　　　　　（僕たち決してけんかはしないよ。）
　　　　　　d）Never did he have any schooling.
　　　　　　　（彼は決して学校教育は受けなかった。）

◎ 注意 :have、had、に関して！

完了形を作る have や had でない場合、即ち純粋に「持っている」「飲む」「食べる」という意味の have（had）は一般動詞の場合と同様に do、does、did の助動詞を用いて前に出てきます。

問159　No sooner ～ than の構文。

【やや難】文頭の no sooner は語順注意！

（ポイント）no sooner は否定の副詞句で文頭に出て磁石現象が生じます。

> 適語補充
>
> He had <u>no sooner</u> reached the station
>
>   <u>than</u> the train started.
>
> = No sooner ＿＿＿＿＿＿＿＿＿＿
>
>   than the train started.

問160　Hardly ～ when（before）

【やや難】= Scarcely ～ when（before）の構文。

文頭の Hardly、Scarcely は語順注意！

（ポイント）Hardly も Scarcely も否定の副詞。

> 適語補充
>
> He had hardly reached the station
>
>   when the train started.
>
> = Hardly ＿＿＿＿＿＿＿＿＿＿
>
>   when the train started.

<u>その他</u>

◎ 時制のずれのない

 ～するやいなや構文。

> <u>As soon as</u> I reached the station, the train started.
>
> = <u>The moment</u> I reached the station, the train started.
>
> = <u>The minute</u> I reached the station, the train started.
>
> = <u>The instant</u> I reached the station, the train started.
>
> = <u>Immediately</u> I reached the station, the train started.
>
> = <u>Directly</u> I reached the station, the train started.
>
> = <u>On reaching</u> the station, the train started.

問159　答え　had he reached the station

No sooner had he reached the station

than the train started.

訳）駅に着いたとき、列車は出発していた。

否定の副詞句 no sooner が文頭に出て、次に代名詞 he では気に食わないので、no sooner は、お友達の had を連れ出し、no sooner had he という語順になると考えてください。

He had no sooner reached the station than the the train started.
を直訳的に解釈すれば、「列車が到着した〔過去〕のと比べて、その前に no sooner 即ち早いか、早くないかほぼ同時に、（どちらかと言うと、わずかに遅く）駅に着いた。」

したがって、駅に着いた時には、ほんのわずかの差で列車は出発していたということになります。

no less than 等の構文のところでも述べましたが、no sooner ～ than も同様 no に sooner にかかる語句否定であり、sooner を 10 とすると、no は 10.1 ぐらいの強さです。

no（10.1）

sooner（10）

（駅に）reach していない　　0　　（駅に）reach している

問160　答え　had he reached the station

（直訳）列車が出発したとき、ほとんど駅に着いていなかった。
　　　→ 駅に着いたとき、列車は出発していた。

（まとめ）

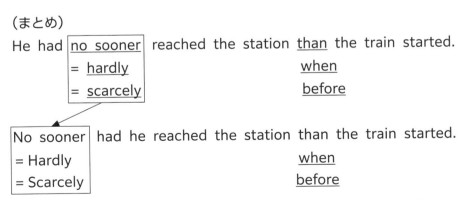

He had no sooner reached the station than the train started.
　　　= hardly　　　　　　　　　　　when
　　　= scarcely　　　　　　　　　　before

No sooner had he reached the station than the train started.
= Hardly　　　　　　　　　　　　　when
= Scarcely　　　　　　　　　　　　before

・hardly 及び scarcely は before、when どちらの組み合わせでも OK。
・hardly（scarcely）～ when（before）…
　　　…したとき（…する前に）ほとんど～していない。

1. 彼女はそのニュースを聞くや否や、泣き出した。（整序）

   No sooner _____ .

   〔she、had、began、than、she、heard、the news、cry、to〕

2. 私が部屋に入るや否や、ベルが鳴った。

   Scarcely _____ .

   〔before、I、entered、had、the room、rang、the bell〕

3. The moment he saw me, he ran away.

   Hardly _____ .

4. I had hardly left my home when it began to snow heavily.

   = The instant _____ .

5. No sooner had she gone home than she fell ill.

   = Directly _____ .

6. 彼は朝食を終えると、すぐに散歩に出かけた。

   No sooner _____ .

   The moment _____ .

7. 飛行機が離陸するかしないうちに爆発が起きた。

   No sooner _____ there was an explosion.

   = Scarcely _____ .

   = The minute _____ .

8. The guest speaker had no sooner entered the hall

   than a cheer arose from the audience.

   = Immediately _____ .

   （ゲストスピーカーがホールに入るや否や、聴衆から拍手喝采がおこった。）

EXERCISE Ⅰ の答え

1. No sooner had she heard the news than she began to cry.
2. Scarcely had I entered the room before the bell rang.
3. Hardly had he seen me when he ran away.
4. The instant I left my home, it began to snow heavily.
5. Directly she went home, she fell ill.
6. No sooner had he finished lunch than he went out.
   = The moment he finished lunch, he went out for a walk.
7. No sooner had the airplane taken off than ~
   = Scarcely had the airplane taken off before there was an explosion.
   = The minute the airplane took off, there was an explosion.
8. Immediately the guest speaker entered the hall, a cheer arose from the audience.

EXERCISE Ⅱ

その他の〜するや否や の構文。

私が駅に着くと列車は出発していた。

1. (   ) (   ) (   ) I reached the station, the train started.
2. = On (   ) the station, the train started.
3. = The (m   ) I reached the station, the train started.
4. = The (m   ) I reached the station, the train started.
5. = The (i   ) I reached the station, the train started.
6. (I   ) I reached the station, the train started.
7. (D   ) I reached the station, the train started.

EXERCISE Ⅱ の答え

1. As soon as
2. reaching
3. moment
4. minute
5. instant
6. Immediately
7. Directly

※ 3.4. の答えは順不同。

問161 <u>Not until ～</u> の構文。

【超難】 （ヒント）not と until ～ を合計すれば否定の副詞句になり、それが文頭に出れば動詞（助動詞）がくっついて磁石現象が生じます。（・・・ するまで～しない。 → ・・・ して、初めて～する。）

A

> 適語補充
> I did <u>not</u> know the news <u>until yesterday</u>.
> = Not until yesterday _____ .

B （ポイント）Not until I was 20 は、否定の副詞節。

> 適語補充
> 20 歳になって初めてその事実を知った。
> I did <u>not</u> know the fact <u>until I was 20 years old</u>.
> = Not until I was 20 _____ .

EXERCISE （答えは右ページ）

A 次の文を Not を文頭にした強調文を作れ。

1. I didn't know that I had missed my wallet until I got home.
   Not _____ .

2. I didn't find I had been deceived until then.
   Not _____ .

3. Man couldn't conquer nature until he learned to use fire.
   Not _____ .
   ※ conquer 征服する。

B 整序問題。

1. Not until （did、notice、then、I、the danger）
2. Not until （you、do、understand、you have seen him、 a man）
3. Not until （the value of the diamond,

   she lost it、had、known、she）

問161　A　答え　Not until yesterday did I know the news.

訳）昨日までそのニュースを知らなかった。

→　昨日になって初めてそのニュースを知った。

問36 の説明と重複しますが、

I never knew the news. の倒置文は Never did I know the news. となります。

この文において、never を文頭に持ってくる際、動詞 knew を連れ出したいのですが重すぎるため、子分の助動詞の did を作って前に出したと考えます。同様に否定の副詞句 not until yesterday は never と同じで did を引っ付けて前に出ます。

B　答え　Not until I was 20 years old did I know the fact.

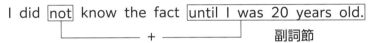

I did |not| know the fact |until I was 20 years old.|
　　　　　　　　 ＋　　　　　　　　副詞節

not と until I was 20 years old を加えれば、否定の副詞節になり、上記例文の never と同じポジションを占めることになります。従って、Not until I was 20 years old. が文頭に出てきて、その次に I（代名詞）では困るので、友達の did を前に連れ出し、以下の文となります。

「Not until I was 20 years old (did I know the fact).」

EXERCISE の答え

A　1. Not until I got home did I know that I had missed my wallet.
　　2. Not until then did I find I had been deceived.
　　3. Not until man learned to use fire did he conquer nature.

訳）1. 家に帰って初めて財布がないのに気付いた。
　　2. その時になって初めて騙されているのに気付いた。
　　3. 人間は火を使うことを知って初めて自然を征服した。

B　1. Not until then did I notice the danger.
　　2. Not until you have seen him do you understand a man.
　　3. Not until she lost it had she known the value of the diamond.

訳）1. その時になって初めて危険に気付いた。
　　2. 人は会って初めて解る。
　　3. 彼女はダイヤモンドを失って初めてその価値を知った。

問162 It is（was）〜 not until … の構文。（整序問題頻出）

【難】 （ポイント）It 〜 that ・・・ の強調構文です。

> 適語補充
> It 〜 that ・・・ の強調構文に。
> I didn't know the fact until I was 20 years old.
> = It was _____ .

訳）20歳になるまで、その事実を知らなかった。（20歳になって初めてその事
実を知った。）

（ヒント）

理解のコツ　　まず基礎知識から始めましょう。

> I met him yesterday. の文で、
> 　1. I を強調したいとき。
> 　2. him を強調したいとき。
> 　3. yesterday を強調したいとき。
>
> > 1. It was I that（who）met him yesterday.
> > 　昨日彼に会ったのは私です。
> > 2. It was him that I met yesterday.
> > 　私が昨日会ったのは彼です。
> > 3. It was yesterday that I met him.
> > 　私が彼に会ったのは昨日です。
>
> 要するに、強調したい語句を It と that の間に挟み、残った語
> 句を that 以下に置けばよいのです。

問162　答え　It was not until I was 20 years old that I knew the fact.

　　　I did not know the fact until I was 20 years old. の文において、強調したい副詞節 until I was 20 years old を It ～ that に挟むのですが、その前にこの文は否定文ですから not を前に使用しなければなりません。
　　　従って、

　　　I did <u>not</u> know the fact <u>until I was 20 years old</u>.

　　　It was <u>not</u> <u>until I was 20 years old</u> that I knew the fact.

　　　という語順になります。（know が knew になることに注意！）

<u>答え</u>

　　1. 私は月曜日になって初めて事務所に電話した。
　　　　It (the、I、Monday、not、that、office、phoned、was、until). （東海大）
　　2. 警察が到着したのは、事故があって 2 時間も経ってからでした。
　　　　It was (after、not、that、the accident、the police、two hours、until) arrived. （武庫川女子大）

<u>EXERCISE の答え</u>

　　1. It (was not until Monday that I phoned the office).
　　2. It was (not until two hours after the accident that the police) arrived.

③ ゴロ合わせ 文法編

理屈で理解しづらい文法は
ゴロ合わせが役に立つ！

- 動名詞しかとらない動詞。
- 不定詞しかとらない動詞。
- should の省略（動詞編、形容詞編）。
- 人を主語に取らない形容詞。
- be to 構文。

1. ゴロ合わせで覚えよう！
動名詞しかとらない動詞

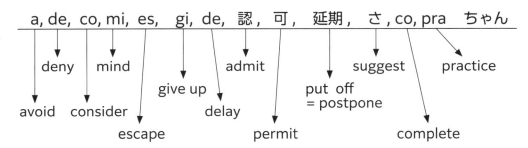

ア、デ、コ、ミ、エス、ギ、デ、ニン、カ、エンキ、サ、コ、プラ

a, de, co, mi, es, gi, de, 認, 可, 延期, さ, co, pra　ちゃん

deny　mind　　　　　admit　　　　suggest　　　practice

give up　　　put off
　　　　　　　= postpone

avoid　consider　　　　　delay

escape　　　　permit　　　complete

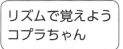

リズムで覚えよう
コプラちゃん

第１歩 ・ざっと覚えよう。

ア	a	avoid ～ing （避ける）	<u>avoid eating a greasy food</u> （脂っこい食べ物を避ける）
デ	de	deny ～ing （否定する）	<u>deny having told a lie</u> （嘘をついたことを否定する）
コ	co	consider ～ing （考える）	<u>consider studying abroad</u> （留学することを考えている）
ミ	mi	mind ～ing （気にする）	mind opening the window （窓を開けることを気にする）
エス	es	escape ～ing （脱出する）	<u>escape being punished</u> （罰せられることを逃れる）
ギ	gi	give up ～ing （やめる）	<u>give up drinking</u> （酒を止める）
デ	de	delay ～ing （遅らせる）	<u>delay seeing the dentist</u> （歯医者に行くのを遅らせる）
ニン	認	admit ～ing （認める）	<u>admit cheating in the examination</u> （試験でカンニングしたことを認める）
カ	可	allow ～ing （許可する）	<u>allow playing in the yard</u> （庭で遊ぶことを許す）
エンキ	延期	put off ～ing = postpone（延期する）	<u>put off paying the rent</u> （家賃の支払いを延ばす）
サ	さ	suggest ～ing （提案する）	<u>suggest eating out</u> （外食しようという）
コ	co	complete ～ing （完成する）	<u>complete painting the wall</u> （壁のペンキ塗りを完成する）
プラ	pra	practice ～ing （実践する）	<u>practice fencing</u> （フェンシングの練習をする）
	ちゃん		

（その他）
enjoy ～ing、finish ～ing、forbid ～ing（禁止する）、
miss ～ing（～し損なう）、recall ～ing（思い出す）、
imagine ～ing、recollect ～ing（思い出す）

第2歩 よりくわしく！

・**avoid**（避ける）

I couldn't avoid laughing.　笑うことを避けることができなかった。
　　（= help）　　　　　　　　→ 笑わざるを得なかった。

cf. help はこの場合、避けるという意味。
　　It can't be helped.　避けることができない。 → どうしようもない。

・**deny**（否定する）　　〔語源〕de（強意）- ny（否定する）

I denied having told a lie.　私はうそをついたことを否定した。
（= I denied that I had told a lie.）
・deny ～ ing は堅い表現なので that S + V の方がよく用いられます。

・**consider**（考慮する）

I consider studying abroad.　留学すること考えています。
（= I consider that I will study abroad.）

・consider は目的語（名詞、代名詞）が挟まると、consider + 目的語 + to 不定詞
になることに注意（～ ing は×）。したがって受動態は be considered to とな
ることにも注意。
We consider him to be silly.
（= He is considered to be silly.）
彼はバカであると思われている。

・**mind**（気にする）

Would you mind opening the window ?
（直訳）あなたが窓を開けることを気にしますか。→ 窓を開けてくれませんか。
・mind の疑問文は、その答えに注意しよう。直訳で考え、答えを判断しましょう。
・もちろん気にしませんよ。→ 開けますよ、は Of course not.（= Certainly not.）。
　全く気にしません、は No, not at all.
・（しんどいから）開けたくないですよ、は Yes, I do mind.（= Yes, I mind very
　much.）Yes, I mind. とは、あまり言いません。
・Would you mind if I open the window ?
　（= Would you mind my opening the window ?）
　　　　　　　　　　　（= me）
（直訳）もし私が窓を開けると、あなたは気にしますか。 → 窓を開けましょうか。
（口語では if 節を使う方が普通です。）

cf. Do you mind my smoking ? は、ほかの人はさておき「私は」タバコを吸っ
てもいいですか、という意味になります。Do you mind me smoking ? は、
S + V + O + C 構文となるので、smoking は分詞の働きをします。従って、
直訳的には「私がタバコを吸っている」のを気にしますか、という意味になります。

・**escape**（脱出する、逃れる）

He escaped being punished.　罰せられるのを逃れた。

(= He escaped punishment.)

・**delay**（遅らせる）　de（強意）+lay（そのままにしておく）

I delayed seeing the dentist.　歯医者に行くのを遅らせた。

cf. delay は受動態でよく用いられる。

　　The game was delayed because of heavy rain.

　　大雨のためにゲームの開始が遅れた。

・**admit**（認める）

He admitted cheating in the exam.　カンニングしたことを認めた。

　　　　　（= having cheated）

(= He admitted that he had cheated in the exam.)

　・that 節の方がはるかによく用いられます。

cf. カンニング（cunning）は和製英語。 cunning　悪賢い、ずるい。

　　He is（as）cunning as a fox. キツネのようにずるい。

・**allow**（許可する）

They don't allow fishing in this pond.　この池では魚釣りは禁止です。

allow + 目的語 + to 不定詞（〜 ing は×）のパターンがあることに注意。

They don't allow you to fish in this pond.

(= You are not allowed to fish in this pond.)

　・受け身になると be allowed to 不定詞 となることにも注意。

・**suggest**（提案する）

I suggest leaving here now.　今ここを出たらどうでしょう。

(= I suggest that we leave here now.)

　・suggest to leave は不可。

・complete（完成する）

Let's complete painting the wall.　壁塗りを仕上げましょう。

・practice（練習する）

Let's practice riding a horse.　乗馬の練習をしよう。

2. ゴロ合わせで覚えよう！ 不定詞しかとらない動詞

ア、マ、　プロ、ノゾミ、プリ、ケツ、コバ、メ

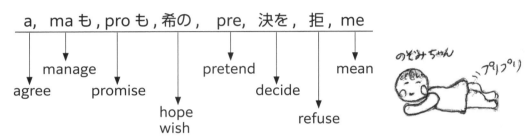

a, ma も, pro も, 希の,　pre, 決を,　拒, me

agree　manage　promise　hope wish　pretend　decide　refuse　mean

第1歩 ・ざっと覚えよう。

ア	a	agree to （賛成する）	agree to eat out （外食することに賛成する）
マ も	ma も	manage to （どうにかして〜する）	manage to escape （どうにかして脱出する）
プロ も	pro も	promise to （約束する）	promise to go out with me （私とデートすると約束する）
ノゾミ の	希 の	hope to (wish、expect) （希望する）	hope to hear from you （お便りを望む）
プリ	pre	pretend to （見せかける）	pretend to be ill （仮病を使う）
ケツ を	決 を	decide to (resolve、determine) （決心する）	decide to marry her （彼女と結婚することを決心する）
コバ	拒	refuse to （拒絶する）	refuse to accept a Nobel Prize （ノーベル賞を辞退する）
メ	me	mean to （〜するつもり）	mean to go away （立ち去るつもり）

その他　　offer（申し出る）

第2歩 よりくわしく！

- **agree**（賛成する）

  <u>I agreed to eat out.</u>　外食することに賛成した。

  cf.I agreed eating out. とは言わないが、I agreed to eating out. は OK！
    この場合の to は前置詞です。

  cf.agree with 人　　I agree with him.
    agree to（with）事柄　　I agree to（with）his plan.

- **manage**（どうにか〜する）

  <u>I managed to get along with him, but …</u>
  どうにかして彼とうまくやっていこうとしたが …

  cf. get along with 〜（相手の人格とか侵してはいけない領域に立ち入ることなく、
    それに沿ってうまくやっていくというニュアンス。）

- **promise**（約束をする）

  <u>He promised to go out with me.</u>　彼は私とデートをする約束をした。
  = He promised me to go out with.
  ・go out with = have a date with

- **hope**（希望する）、wish、expect

  <u>I hope to go abroad.</u>　外国に行きたい。
  （hope + 人 + to 原形 はないことに注意。テストによく出るよ。
  × I hope you to help me. は不可。
  ○ want you to 〜、wish you to 〜、expect you to 〜 は OK。

- **pretend**（見せかける）

  <u>He pretended to be ill.</u>　彼は仮病を装った。
  = He pretended that he was ill.

- **decide**（決心する）= resolve = determine
  <u>He decided to marry her.</u>　彼女と結婚することを決心した。

◎ decide の類語

- decide　de（分離＝off）＋cide（切る）　余分な考えを切り捨て決心すること。
- cf. ・sui cide 自殺する。＝ kill oneself
  自身　切る
  - ・homi cide 他殺する。　　　・insecti cide 殺虫剤。
    人　　切る　　　　　　　　　昆虫　　切る
- determine　de（強意）＋termine（物事を終結させる＝terminate）
  decide より正式で意味が強い。
  - ・He determined to stay in Japan at all costs.
    いかなる犠牲を払っても日本にとどまる決心をした。

- resolve　re（強意）＋solve（物事の解決法を見い出す。）
  断固たる決意をすること。
  - ・He has resolved never to do drugs.
    麻薬を二度とやるまいと決心した。

・refuse（拒絶する）

He refuses to talk about the matter.　彼はその問題について議論したがらない。

re（＝back）＋fuse 流れ（＝current）流れを押し戻す。→ 拒絶する。

cf. ・confuse（con＝together＋fuse）流れが共に交わる。→ 混乱する（させる）。
- ・transfuse（trans＝across＋fuse）横切って流す。→ 輸血する。
- ・reject（拒絶する）は refuse より意味合いが強く、不定詞を取らないことに注意。
  （reject to ～ は不可。）

・mean（～するつもり）

I didn't mean to go away.　立ち去るつもりはなかった。

mean to は intend to（～するつもり）ほど意味合いは強くなく、過去によく用いられる。

cf. mean ～ ing は、～することを意味する。mean to は、～するつもり。
  Love means never having to say you're sorry.
  愛とは決して後悔しないこと。（映画「ある愛の詩 / Love Story」（1970）の有名なセリフ。）

3. 動名詞と不定詞で意味の異なるもの

理解のコツ

動名詞（～ ing）は、すでに終わった事柄 or 終わりつつある事柄を表し、to は方向性を示し、「これからすること」を表していると理解すれば容易に解かるでしょう。

1. try to と try ～ ing

・I tried to kiss her, but ･･･　キスをしようとしたが･･･
to は、これからする方向を表すから try to kiss は、キスをしようとしたが（どつかれた）というようなこと。

・I tried kissing.　キスをすることを試みた。→ キスをした。
「～することを試みる」ということは、「～した」ということです。

2. remember to と remember ～ ing

・Remember to post the letter.　手紙を投函するのを覚えておきなさい。
to post は、これから投函する意。

・I remember posting the letter.　手紙を投函したのを覚えている。
posting は、終わった事柄を表しています。

3. forget to と forget ～ ing

・Don't forget to call him.　彼に電話をするのを忘れるな。
to call は、これからする意。

・I forgot calling him.　彼に電話したことを忘れていた。
calling は、終わった事柄を表しています。

4. stop to と stop ～ ing

・He stopped to smoke.　タバコを吸うために立ち止まった。
to smoke は、これからする動作。

・He stopped smoking.　禁煙した。
smoking は、タバコを吸うという事柄を表しています。

5. regret to と regret ～ ing

・I regret to say that I can't join you.
残念ながらあなたとお付き合いできません。
that 以下のことを（これから）述べるのは残念に思うが直訳。

・I regret telling him a lie.　彼にウソをついたことを残念に思う。
telling は、すでに終わった事柄を表しています。

4. 動名詞にするのか、不定詞にするのか？
　　迷った時に役立つ予備知識

おおまかな目安

動名詞のみを目的語にする動詞（他動詞）は全体の動詞の約 2%、不定詞のみを目的語にする動詞は約 8%、その他の動詞は、動名詞、不定詞のいずれも OK です。

・動名詞しかとらない動詞とは？

動名詞（〜 ing）は、進行形（〜 ing）と形を同じくしていることからも、

1. 進行状態や直面状態を表す事柄と結びつき、〜することを避ける（avoid）とか、〜することを脱する（escape）とか、〜することをやめる（give up）というような動詞と、また

2. 進行状態が終わった事柄と結びつき、〜したことを認める（admit）とか、〜したことを否定する（deny）とかいうような動詞と結びつくことが多いのです。

・不定詞しかとらない動詞とは？

不定詞にしろ前置詞にしろ、to は方向性を示唆しています。to do something は、これから何かをすることであり、go to school も場所に向かって進むことを意味しています。従って to 不定詞は、これからすることを表すような動詞、決心（decide）、同意（agree）、約束（promise）、願望（hope、wish、expect）のような動詞と結びつきます。

5. need ～ ing には注意！

need ～ ing は「～される必要がある。」と受け身の意味になります。

適語挿入　その車は修理される必要がある（= 修理の必要がある）。

The car needs repairIng.

= The car needs (　　　) (　　　) (　　　).

答え）to be repaired

「need to be p.p.」より「need ～ ing」の方がよく使用されます。

・一般的に、英語は同じ意味なら語数の少ない方が好まれます。

◎ need ～ ing タイプ（～される必要がある。）

want ～ ing = want to be p.p.

require ～ ing = require to be p.p.

・He wants locking up. = He wants to be locked up.
　彼は監禁される必要がある。→　彼をブタ箱にぶち込んでやらねば。

・Does your suit require pressing ?
　背広にアイロンをかけましょうか。

・require ～ ing は、少し堅苦しい表現です。

（その他）

・deserve ～ ing = deserve to be p.p.　～されるに値する。
　He deserves punishing.（彼は罰せられるに値する）
　= He deserves to be punished.
　= He deserves punishment.

EXERCISE （答えは右ページ）

動名詞か不定詞か？？

1. Tom decided (to go / going) to college.
2. You should avoid (to make / making) a mistake like that.
3. He narrowlly escaped (to be / being) killed in the accident.
4. Would you mind (to turn / turning) the switch on ?
5. He pretended (to be / being) a big man.
6. He admitted (to cheat / cheating) in the exam.
7. He agreed (to cut / cutting) the class.
8. He denied (to have / having) robbed the bank.
9. He is practicing (to ride / riding) a bicycle.
10. I determinded (to get / getting) married to her.
11. I suggest (to leave / leaving) here at once.
12. He put off (to leave / leaving) as long as he could.
13. I promised (to go / going) on a trip with her.
14. He gave up (to smoke / smoking).
15. I consider (to travel / traveling) abroad.
16. I don't remember (to see / seeing) the movie.
17. You had better manage (to make / making) up for it.
18. She is not allowed (to go / going) out.
19. He is considered (to be / being) stupid.
20. He refused (to answer / answering) for it.
21. Don't forget (to say / saying) hello to your father.
22. I forget (to visit / visiting) the temple that year.
23. I tried (to do / doing) my best, but I failed.
24. He stopped (to drink / drinking) 10 years ago.
25. He regrets (to marry / marrying) her.

EXERCISE　訳と答え

（訳）　　　　　　　　　　　　　　　（答え）

1. トムは大学に行くことを決心した。　　1. to go

2. そのような間違いをしないようにするべきだ。　2. making

3. 彼は危うく事故で死ぬところを免れた。　3. being

4. スイッチを入れてくれませんか。　　4. turning

5. 大物であるかのように見せかけた。　5. to be

6. 彼は試験でカンニングをしたことを認めた。　6. cheating　・cheat in the exam
　　　　　　　　　　　　　　　　　　　　　　　　テストでカンニングする

7. 彼は授業をさぼるのに同意した。　　7. to cut

8. 彼は銀行強盗をしたということを否定した。　8. having　・rob the bank
　　　　　　　　　　　　　　　　　　　　　　　　銀行強盗をする

9. 自転車に乗る練習をしている。　　9. riding　　＝rob the bank
　　　　　　　　　　　　　　　　　　　　　　　　（of the money）

10. 彼女と結婚することに決めた。　　10. to get　　問51 参照

11. すぐここを出てはどうでしょう。　　11. leaving

12. 彼はできるだけ出発を延期した。　12. leaving

13. 私は彼女と旅行に行く約束をした。　13. to go

14. 彼はタバコを吸うのをやめた。　　14. smoking

15. 私は海外旅行をしようと考えている。　15. traveling

16. その映画を見たのを思い出せない。　16. seeing

17. 君はどうにかして埋め合わせをした方が良い。　17. to make　・make up for～
　　　　　　　　　　　　　　　　　　　　　　　　～の償いをする

18. 彼女は外出することが許されていない。　18. to go

19. 彼はバカであると思われている。　19. to be

20. 彼はその責任を取るのを拒絶した。　20. to answer　・answer for～

21. お父さんによろしくと言うのを忘れないで。　21. to say　　＝ take responsibility
　　　　　　　　　　　　　　　　　　　　　　　　　　for～

22. その寺をその年に訪問した事を思い出せない。　22. visiting　～の責任を取る

23. 私はベストを尽くそうとしたが失敗した。　23. to do

24. 彼は 10 年前に酒をやめた。　　24. drinking

25. 彼は彼女と結婚したことを悔やんでいる。　25. marrying

6. ゴロ合わせで覚えよう！
should の省略（Part 1 動詞編）

S + V + that + S +（should）+ V の should の省略

S + V + that + S + 原形 のパターンをとる V（動詞）の解説

問　It was ordered that he（is、was、be）sent to NY.

答え）be

　　that 節の should の省略。

　　この問題はどういう動詞の後の that 節の動詞が原形になるか、しっかり覚えてお
かないと対応できません。

　　命令・提案・要求・決心等の動詞の目的格節内の動詞は、原形となります。問いの
It was ordered he（should）be sent to NY.（彼はニューヨークに送られると
いう命令が下った。）の場合、アメリカでは should は省略され he be となります。
（最近ではイギリスでも should は省略される傾向にあると言われています。）

　　・なぜ should が省略されるようになったのでしょうか？

　　もともとこの場合の should は、意見・命令・要求・提案等の感情的な動詞につら
れて出来た情緒的（emotional）should と名付けられているもので、単に前の動
詞の響きにつられて出来たものであるから、言葉の経済性（economy of speech）
の原理から見れば無駄なものであるということから省略されるようになったのではな
いでしょうか？

テスト頻出の
S + Ⓥ + that + S + 原形 のパターンをとる Ⓥ

て	めい	の	けっ	てい	よう	ちゅう	い
手	命	の	決	提	要	忠	意
配	令	の	定	案	求	告	図

て	手配	arrange（手配する）	He has <u>arranged</u> that he <u>meet</u> her on Sunday. （彼は彼女と日曜日に会うことにしている。）
めい の	命令 の	order（命令する）	They <u>ordered</u> that he <u>be</u> punished. （彼らは彼を罰するように命令した。）
けっ	決定	decide（決定する）	We <u>decided</u> that the profit be devided equally. （利益を平等に分けるように決めた。）
てい	提案	suggest（提案する）	I <u>suggested</u> to him that the sum be paid immediately. （彼にお金をすぐに払うように言った。）
よう	要求	demand require（要求する）	He <u>demanded</u> that she <u>tell</u> him the truth. （彼は彼女が真実を話すように要求した。）
ちゅう	忠告	advise（忠告する）	I <u>advised</u> (him) that he <u>see</u> a doctor. （私は彼に医者に診てもらうように忠告した。）
い	意図	intend（意図する）　=	I <u>intend</u> that he <u>help</u> me with my homework. I intend him to help me with my homework. （私は彼に宿題を手伝ってもらうつもりです。）

その他

insist （主張する）	He <u>insisted</u> I go there. （= He insisted my （me） going there. （彼は私がそこに行くべきであると主張した。） cf. He insisted that he was innocent. 直説法もあります。彼は無罪を主張した。（ランダムハウス英和大辞典）
recommend （勧める）	I recommended he quit smoking. （= I recommended his quitting smoking.） （= I recommended him to quit smoking.）

特に、order、decide、suggest、demand、require、recommend はテストに頻出です。

should の省略（Part 2 形容詞編）

It is 形容詞 that S + 原形 （should の省略）のパターンをとる形容詞

必要とか重要とかいう形容詞が前にくると、後ろの that 節の中の should がアメリカ英語では省略されます。
前述の動詞と同様に necessary （必要な）、essential （不可欠の）、important （重要な）、urgent （緊急の）等の、必要とか重要とかいう形容詞に引きつられて出来た情緒の（emotional） should が省略されたものです。

ゴロ合わせ

・urgent （緊急の）
It is most urgent that the patient （should） be treated properly.
その患者は適切に治療を施されることが急を要する。

・important （重要な）
It is important that he （ should ） make up with her.
彼は彼女と仲直りをすることが重要だ。

・necessary（必要な）

It is necessary that he (should) make efforts.
= It is necessary for him to make efforts.
彼は努力することが必要だ。

・essential（不可欠な）

It is essential that he (should) support me.
彼が私をサポートすることが不可欠です。
essential は necessary より意味合いが強い。

・その他　　desiable　望ましい

7. ゴロ合わせで覚えよう！ 人を主語にとらない形容詞（例外あり）

ベン ピ カ　　ジュ ラク
便 必 可 なら 重 楽 になる

necessary　important
convenient　possible　pleasant（楽しい）

ベン	便	利な（ convenient ）、不便な（ inconvenient ）
		〇 It is convenient for us to live so close to the station. 　駅の近くに住むことは便利です。 × We are convenient to live so close to the station.
ピ	必	要な（ necessary ）、不必要な（ unnecessary ）
		〇 It is necessary for him to make up with her. 　彼は彼女と仲直りする必要がある。 × He is necessary to make up with him.
カ なら	可	能な（ possible ）、不可能な（ impossible ）
		〇 It is impossible for him to do the work. 　彼がその仕事をすることは不可能だ。 × He is impossible to do the wrok.
ジュ	重	要な（ important ）
		〇 It is important for him to study abroad. 　留学することは彼にとって重要である。 × He is important to study abroad.
ラク になる	楽	しい（ pleasant = delightful ）
		〇 It is pleasant for me to talk with him. 　彼と話をすることは楽しい。 × I am pleasant to talk with him.

（例外）

impossible、important、pleasant、delightful 等において、主語（人）が不定詞の意味上の目的語となっているときは、人を主語にとることができます。なんともややこしい説明ですが、例えば、He is impossible to teach. の文が正しいかどうかを判断する時、It を主語にして書き換えると It is impossible to teach him. となり、He が不定詞の目的語となっているから、この文は正しいのです。

He is imposible to teach. 彼を教えることは不可能だ。

It is impossible to teach him.

He is pleasant to talk with. 彼と話すのは楽しい。

It is pleasant to talk with him.

（その他）

easy、hard、difficult、dangerous 等の形容詞を修飾する不定詞の場合も同様です。

○ He is easy to teach. は可。

It is easy to teach him.

× He is easy to do the work. は不可。

It is easy to do the work. him として戻る場所がない。

8. 語法問題の花形中の花形 suggest

suggest は超頻出です。完璧に理解しておきましょう。

◎ suggest の 5 つのポイント

> 誤りを正せ。
> a. She suggested Tom the plan.
> b. She suggested him that he should do it.
> c. She suggested to go out together.
> d. She suggested that he was punished.
> e. She suggested that he be in his teens.

（解説）

　　a. suggest は二重目的語をとる動詞ではありません。

　　　suggest は S ＋ V ＋ O ＋ O の構文はないので、第 3 文型 S ＋ V ＋ O で表現しなければなりません。従って、She suggested the plan to Tom. となります。

　　b. b の問題は本質的には a の問題と同様です。S ＋ V ＋ O ＋ O 構文はとれないので、She suggested that he should do it to him. となりますが、目的語の that 節が長いのでリズムをよくするために to him を前にもってきます。従って、She suggested to him that he should do it. となります。

　　c. suggest は、動名詞しか目的語にとりません（コプラちゃん参照）。

　　　従って、She suggested going out together. となります。

　　d. この文は元々 suggest につられて感情表現を表す should があり、その should が省略された形になりますので、he be punished となります。

　　e. that 以下の文は、「彼は 10 代である。」という単なる事実を述べたものであり、感情表現ではなく、that 節に should が元々存在していないので that he was となります。

答え

a. She suggested the plan to Tom.
b. She suggested to him that he should do it.
c. She suggested going out together.
d. She suggested that he be punished.
e. She suggested that he was in his teens.

（訳）

a. 彼女はトムに計画を提案した。
b. 彼女は彼がそれをするべきであると言った。
c. 彼女は一緒に外出しようと言った。
d. 彼女は彼は罰せられるべきであると言った。
e. 彼女は彼は 10 代であると言った。

※問 b の should はアメリカ英語では省略。

9. ゴロ合わせで覚えよう！
七変化の怪人 be to 構文

うんかいぎ　かとうよ 運可意義で仮当予

・be to 構文は詳しく分ければ 7 つに分類されます。

1）運命　2）可能　3）意図　4）義務　5）仮定　6）当然　7）予定

・be to というのはどういう意味なのでしょう？

to は前置詞であれ、不定詞であれ「方向性」を、be は「状態」を表します。
従って、「これから～する状態にある。」というのが全てに共通する直訳的意味合いです。
よって、7 つの分類のどれに相当するのか判別するのが難しい時は、直訳で考えれば何とかなるでしょう。

・be to 構文は省略文ではありませんが、語句を補って考えれば、より解りやすくなるでしょう。

1)	運命	be (destined) to ～	～するように運命づけられている。
2)	可能	be (able) to	～することができる。
3)	意図	be (going) to	～するつもり。
4)	義務	be (obliged) to	～すべきである。 oblige（余儀なく～させる）
5)	仮定	be (assumed) to	～すると仮定されている。 assume（仮定する）
6)	当然	be (bound) to	～すべきである。（～するように結び付けられている）
7)	予定	be (supposed) to	～する予定である。

1）運命　～するように運命づけられている。

　　be to ≒ be destined to　　・destine（運命にある）

　・They were never to come back to Japan again.
　　≒ They were destined never to come back again.
　　訳）彼らは再び日本に戻れなかった。

2）可能　〜できる。

be to ≒ be able to ＝ can

・Nothing is to be seen.
訳）何も見えない。

・It is not to be denied. ＝ It can't be denied.
訳）それは否定することができない。

・How am I to pay such a debt ?
訳）こんな借金がどうして私には払えようか。

3）意図　〜するつもり。

be to ≒ be going to ＝ intend to

・If you are to arrive there by nine, leave here immediately.
訳）9時までに着きたいなら、直ちにここを出発しなさい。

・If you are to pass the exam, you have to study all through the night.
訳）もし試験に合格したいなら、徹夜で勉強しなさい。

※意図を表す be to 構文は、if 節に用いられます。

4）義務　〜すべきである。

be to ≒ be obliged to　　・ob lige（余儀なく〜させる）
　　　　　　　　　　　　　　　〜に 縛り付ける

・What am I to do ?
訳）私は何をすべきか。

・You are to go at once.
訳）君はすぐに行くべきだ。

※ must や should より意味合いが穏やかです。

5) 仮定 ～するとしても。

    be to ≒ be assumed to   ・assume（仮定する）

・If the sun were to rise in the west, I would never change my mind.
訳）たとえ太陽が西から昇るようなことがあっても、決して考えを変えないであろう。

・If he <u>were to</u> come, say I am away.
    （= should）
訳）もし万が一彼がやってきたら、留守だと言ってください。

※ were to は、should よりも不確定性が強く、万が一にも起こりえないようなことには were to を用いるのが普通です。

6) 当然 ～すべきである。

    be to ≒ be bound to   ・bind - bound - bound（縛り付ける）
～するように縛り付けられている、が直訳。

・What is to be done ?
訳）何が成されるべきか。

・Such an evil law is to be abolished.
訳）そのような悪法は廃止すべきだ。

7) 予定 ～する予定です。

    be to ≒ be supposed to

・I am to leave at 7.
訳）7時に出発の予定です。

・The meeting is to be held on Monday.
訳）会議は月曜日に催される予定です。

EXERCISE

和訳しなさい。

1. The President is to give a speech on TV tonight.
2. You are to stay here till we return.
3. The ship was to wreck on the bottom of the ocean.
4. If you are to be happy, you'll have to work harder.
5. Not a star is to be seen.
6. If he were to come, say I am out.
7. He is to blame.

答え　1. 大統領は今晩テレビで演説する予定です。（予定）
　　　2. 私たちが帰るまであなたはここに残ってください。（義務）
　　　3. その船は難破して海底に沈んでしまう運命にあった。（運命）
　　　4. 幸せになろうとするなら、もっと熱心に働かなければならない。（意図）
　　　5. 星１つ見えません。（可能）
　　　6. もし万が一彼が来たら、外出していると言ってください。（仮定）
　　　7. 彼は責められるべきだ。（当然）

（注）7）の to blame に関して。

He is to blame. の訳は、「彼は責めるべき。」とは訳さず、「彼は責められるべき。」
となっています。
その理由は、14C 以前は不定詞の受動態(to + be + p.p.)のパターンが存在せず、
to 原形が「～する。」「～される。」という能動態と受動態の両方の意味に使われて
いたという経緯があり、その名残が「to blame」に残っているのです。
従って、He is to blame. ＝ He is to be blamed. となります。
また理由の for を伴うときは、to be blamed の方がよく使われます。
He is to be blamed for the accident.
訳）彼はその事故の責任を問われるべきだ。

仮定法とお友達になるには、まず、その前に、時を表す副詞節において、なぜ未来の事柄は現在形で代用するのでしょうか？　ここが仮定法をマスターする際の突破口です。

謎 Q1:

> なぜ if 節の未来は現在形で代用するのでしょう？

> 問　下線部の誤りを正せ
>
> 　　If it <u>will be</u> fine tomorrow,I will go there.
>
> 　　　　　　　　　　　　　　答え　will be → is

A:「もし」を表す if 節は、この場合、未来を表す「will go」を修飾する副詞節です。従って、「If it will be fine,」と言おうが、「If it is fine,」と言おうが、その内容は、いずれの形をとっても未来であることは明らかです。

　それ故、言葉を経済的に使用するという傾向、即ち、「言葉の経済性」（economy of speech）の原則に基づき、一文字削除したと考えます。

・もっと解りやすいのは、ひと昔前は「If it is fine,」ではなく、「If it be fine,」と言っていました。これは単に will を省いたというだけのことで、明らかに言葉の節約からきたものであることがよく解ります。

謎 Q2:

なぜ仮定法過去の内容は現在なのでしょう？

If it were fine today, I would go there.
（もし、今日晴れなら、そこに行くのに）
◎ today なのに、なぜ過去形の were が？

A: 時を表す副詞節において「未来」は「現在」で代用しました。

では、現在の事柄はどうすればいいのでしょう？

必然的に過去形で代用することになります。

形は過去形ですが、あくまで内容は現在なのです。これが仮定法過去です。

謎 Q3:

なぜ仮定法過去完了の内容は過去なのでしょう？

If it had been fine yesterday, I would have gone there.
（もし昨日晴れであったなら、そこに行っていたであろうに。）
◎ yesterday なのになぜ過去完了？

A: 時を表す if 節において「未来」は「現在で」、「現在」は「過去」で代用してきました。

それでは過去の事柄はどうすればいいのでしょう？

必然的に過去完了形（had ＋ P.P.）で代用するということになります。

これが、仮定法過去完了です。

◎ まとめ

> 1. 時を表す副詞節において未来の事柄は現在形で代用。
>
> If it is fine tomorrow, I will go there.
>
> （もし明日晴れなら、そこに行くでしょう。）
>
> 2. 仮定法過去（現在の事柄は過去形で代用）
>
> If it were fine today, I would go there.
>
> （もし今日晴れなら、そこに行くのに。）
>
> 3. 仮定法過去完了（現在の事柄は過去完了形で代用）
>
> If it had been fine yesterday, I would have gone there.
>
> （もし、昨日晴れであったなら、そこに行っていたのに。）

◎ 落とし穴！

> 問　この文は正しいですか？
>
> 　　If you will do. I will do.（東京理科大 改）

答え　正しい

この文章は正しいのです。よく間違う問題です。この if 節は単純未来形ではなく、人が主語で「～するつもり」という意志を表しています。副詞節において「未来」を「現在」で代用するのは、単純未来に限ってのことです。意志・未来を表す will をとれば、意志が伝わらなくなります。

If you do……とすれば正しい文章ですが、予定を表します。

謎 Q4:

　　　| If I were・・・・の were って？ |

A: If I were rich,I wouid be happy.

　(=Were I rich,)

　(もし金持ちであれば、幸せであろうに)

　昔、be 動詞の過去形は were のみで、後に was が生まれました。

　従って、I were happy. You were happy. He were happy.

　They were happy. というように be 動詞の過去形は全て were でし

　た。その後一人称と三人称単数に was が使用されるようになり、

　I was happy. He was happy. となりました。

　しかるに、仮定法では昔の were の用法がそのまま温存されているの

　です。If I were はその名残です。

　しかし、約 300 年前頃より、一人称と三人称単数には「were」の代

　りに「was」も用いられるようになり、「was」の方が「were」より

　も力強く生き生きとした感じを与えるとされています。

○ 参考までに

　| 一時、二人称の単数は、You was…と言っていたそうです。
　you は単数であれ、複数であれ、目の前にいる人 or 人々ですから、
　was とか were で区別する必要がないので、You was…は消えた
　のでしょう。 |

謎 Q5:

では、なぜ仮定法にのみ一人称、三人称単数の
「were」が見られるのでしょう？

A: If I were（was）rich,= Were I rich, となりますが、
Was I rich, は昔はあったそうですが、今では使われていません。
（疑問文との混同をさけるためかもしれません。）
Were I rich. なら明らかに仮定法であるということが解り、If を一文
字削除できるというありがたい利点があるからでしょう。
ちなみに、Were I rich,……等の if のない省略文は口語には使用され
ません。
If it had been fine,……等も =Had it been fine, となり、一文字
削除され文語のみに用いられます。
発行部数の多い新聞、パンフレット等は大いに紙面の節約ができ、言
葉の経済性はお金の経済性にもなるのでしょう。

謎 Q6:

> なぜ「与える」という意味の provide が
> provided ＝ providing ＝ if となるのでしょう？

問　正しいのはどれか。

I will agree to go （　　　） my expenses are paid.

① than　② provided　③ which　④ what

（東海大）

訳）もし、費用を払ってもらえるなら行ってもいいですよ

A: provide（与える）は何を与えるのでしょう？
　少し長ったらしくなりますが、問題文は、I will agree to go（if it
　is）provided（the condition that）my expenses are paid.
　「もし that 以外の条件が与えられているなら」の省略文です。

・providing は、I will agree to go,if you provide
　the condition that S ＋ V. の you を省略した分詞構文です。

・provided は、providing より堅く、形式ばった表現です。
　より砕けた表現では if を用いるのが一般的です。

答え　②

謎 Q7:

> なぜ supposing = suppose = if と
> なるのでしょう？

> 問　正しいのはどれか。
>
> (　　) that we missed the last train,
> what should we do ?
> ① To suppose　② Supposed　③ Supposing to
> ④ Suppose　　　　　　　　　　　　（日本大）

A: Supposing は、If we suppose that S + V の分詞構文です。

・Suppose は、「想像してごらん」という命令法の動詞です。

答え ④

◎ まとめ

provided（that）
providing（that）
Supposing（that）
suppose（that）
＝if

・注意！

=supposed（that）はありそうで、ありません。

よく選択肢のダミーとして登場するので要注意。

謎 Q8:

> as if =as though（まるで、あたかも）となる理由は？
> He looks as if (=as though) he were ill.

訳）彼はまるで病人のように見える。

A: as は「〜のように」を表す接続詞の as です。

「英米語用法辞典」（開拓社）によれば、

OED（The Oxford English Dictionary）には、He looks as he would look if he were ill (though he is not).

「彼は病気でないけれども、仮に病気であればと思われるような顔つきをしている。」

を 2 分して、as if と as though ができるとあります。

要するに、as if=as though になるということです。

謎 Q9:

as it were って何ですか？

問 同意語句はどれか

He is, <u>as it were</u>, a grown-up baby.

① so to speak　　② not to mention　　③ what we call

訳）彼はいわば成長した赤ん坊である。

A: as it were は、as（if）it were（so）
（まるでそうであるかのように）の省略文で「いわば」という意味になります。

選択肢の解説

1. so to speak は to speak so の倒置文であり、to は条件を表す副詞用法で、if で書き換えれば、if I speak so.（もしそういうふうに言うのなら）即ち「いわば」となります。

2. not to mention（言うまでもなく）は（It is）not（neccessary）to mention.（言う必要はない。）の省略文で、「言うまでもなく」という意味になります。

3. what we call の what は関係代名詞で「我々が言っているところの、即ち「いわゆる」という意味になります。

答え ①

－ 索 引 －

参考文献

『英米語用法辞典』井上義昌 編　開拓社

『英語故事伝説辞典』井上義昌 編　冨山房

『口語英語大辞典』　朝日出版社

『小学館ランダムハウス英和大辞典』第 2 版編集委員会　小学館

『ジーニアス英和大辞典』小西友七、南出康世（編さん）　大修館書店

松本　奉三（まつもと・ほうぞう）

1943 年、兵庫県宝塚市生まれ。1967 年、甲南大学大学院経営学部卒。
塩野義製薬株式会社退社後、1970 年に企業英語センターを設立し、商社、
製造業、銀行等の社内語学研修及び一部翻訳業務を請け負う。
1980 年、英語専門塾「ライフ・アカデミー」を設立し、現在に至る。

丸暗記　さよなら君！　直訳で推理しながら覚える！英熟語　構文　文法

2023 年 10 月 31 日　第 1 刷発行

著　者　松本奉三
発行人　大杉　剛
発行所　株式会社風詠社
〒 553-0001　大阪市福島区海老江 5-2-2
大拓ビル 5 - 7 階
TEL 06（6136）8657　https://fueisha.com/
発売元　株式会社 星雲社
（共同出版社・流通責任出版社）
〒 112-0005　東京都文京区水道 1-3-30
TEL 03（3868）3275
挿絵協力　浅田としこ
装幀　2DAY
印刷・製本　シナノ印刷株式会社
©Hohzou Matsumoto 2023, Printed in Japan.
ISBN978-4-434-32704-9 C0082